D0610941

# LE CHAT

# DANIELLE POULIOT

# LE CHAT

ART GLOBAL

Catalogage avant publication de Bibliothèque et
Archives nationales du Québec et Bibliothèque et Archives Canada

Pouliot, Danielle

Le chat : roman

ISBN : 978-2-923196-09-1

I. Titre.

PS8631.O826C42 2011    C843'.6        C2011-941691-3
PS9631.O826C42 2011

Éditeur :
MIREILLE KERMOYAN

Coordination :
CHRISTINE REBOURS

Révision :
BERNARD PARÉ

Infographie :
ALEJANDRO NATAN

Illustration de la couverture :
VALÉRIE NEUFELD

© Art Global inc., 2011
507, Place d'Armes, bureau 960
Montréal, Québec H2Y 2W8 Canada
www.artglobal.ca

Président :
ROBERT CÔTÉ

Dépôt légal – 3ᵉ trimestre 2011

ISBN : 978-2-923196-09-1

Imprimé et relié au Canada

*À Carole, ma sœur.*
*À Michel et André, mes frères.*

*Ceux qui ne connaissent pas leur histoire*
*s'exposent à ce qu'elle recommence...*
Elie Wiesel

## LUNDI 4 MAI

Le réveille-matin indique huit heures vingt-huit. On sonne à la porte. Je ne travaille pas le lundi. J'espérais faire la grasse matinée. J'en rêve encore, blottie sous ma couette. On insiste. J'hésite. Je cale ma tête dans le plumage de mon oreiller. Je pourrais retrouver le sommeil si je résistais un peu. J'entends des voix. On discute de mon absence. Je m'agrippe à ma couette. Il fait presque froid. Encore la sonnette. Dernière tentative, j'espère. Les règles élémentaires de la politesse le voudraient. Je reconnais le bruit des pas sur les marches. Mes visiteurs s'en retournent. Je vais pouvoir me rendormir.

Je saute du lit comme un diablotin d'une boîte à surprise. J'enfile ma robe de chambre. D'abord à l'envers, puis à l'endroit. Bousculée dans son sommeil, Éos bondit à son tour. Je traverse le corridor au pas de course. Elle part en sens inverse. Ce qui était une emmerde est devenu une urgence. Je veux savoir qui est là. Affronter les responsables de ce lundi matin raté. La porte émet un son étouffé en se dégageant de son cadre. Deux taches noires s'éloignent sur le trottoir. Le bruit les fait se retourner. Des policiers. Un empâté et une maigrichonne. Ils refont le chemin en sens inverse. Ils viennent à ma rencontre. Lourds dans leur attirail de guerre.

– Désolé de vous déranger. Nous cherchons Viviane Després, dit le gros.

Il n'est pas désolé du tout. Il est même content. Ils sont tous les deux contents. Ils ne se sont pas déplacés pour rien. Ils m'ont trouvée, un lundi matin.

– C'est moi.

J'opte toujours pour des réponses courtes lorsque je flaire un piège. Et puis je n'aime pas les policiers. La menace qu'ils représentent. L'autorité abusive dont ils font preuve. L'attitude fascisante qu'ils adoptent. En vérité, je nourris de vieilles rancunes à leur égard.

La politesse veut que je les invite à entrer. Je leur indique le salon à droite. La voisine d'en face est à son poste. Je n'ai jamais vu son visage. Seul le bout de ses doigts accrochés à la dentelle de ses rideaux m'est familier. Je ferme la porte lentement pour ne pas la bousculer.

– J'ai une boutique de lampes. Le lundi est ma journée de congé.

Je me sens obligée de justifier le fait d'être au lit à une heure où la plupart des gens sont déjà au travail. Je me sens toujours coupable en présence de policiers. C'est une autre raison pour laquelle je ne les supporte pas. Par chance, ils refusent d'emblée le café que je me sens également tenue de leur offrir. Ils n'ont pas l'intention de rester longtemps.

– Avez-vous vu votre père récemment ?

Je n'ai pas entendu parler de lui depuis une éternité. Pour que la police vienne m'importuner, il faut qu'il ait fait une gaffe ou qu'il soit mort. J'espère qu'il est mort.

– Pas depuis quinze ans.

En fait, c'est faux. Je l'ai rencontré une fois depuis. Comme il ne m'a pas reconnue, ça ne compte pas. Alors, je tais ce détail.

C'est toujours le gros qui pose les questions. Je ne comprends pas pourquoi on force les aspirants policiers à se maintenir en forme pour ensuite tolérer leur laisser-aller. Si je devais m'enfuir, il ne pourrait jamais me rattraper. La petite, peut-être. Elle se tient en quasi équilibre sur le bout de mon fauteuil. J'aimerais l'inviter à se caler dans le meuble. À m'envahir avec aisance. Elle doit être nouvelle dans le métier.

— Il a été retrouvé mort. Un ami à lui a fait la découverte. Le décès remonte à une semaine. Il faudrait entrer en contact avec cette personne.

Le gros accompagne sa demande d'un geste du corps et dépose une carte sur la table. Le nom de *Jacinthe Martin, Liaison coroner, Morgue de Montréal*, y est inscrit.

Ma chatte est assise sur moi. Nous apprenons la bonne nouvelle ensemble. Je la caresse dans le cou. Elle roucoule comme une tourterelle. Je sais que ce *Cou Crrrrrou* n'est pas synonyme de bien-être. Il s'agit d'un signal d'alarme.

— Bouchard est mort, les policiers veulent me refiler le corps.

Florence est ma meilleure amie. Je la connais depuis huit ans. Nous nous sommes liées d'amitié au parc La Fontaine. Presque au même endroit où nous nous trouvons aujourd'hui. C'était un premier janvier. Il était à peine huit heures et personne d'autre que nous n'avait trouvé le courage d'enfiler ses souliers de course. Il faut dire qu'il faisait un froid polaire. Le genre de froidure à vous souder les narines à chaque inspiration.

Je joggais péniblement en sachant que l'impression de lourdeur, cette sensation désagréable de ne pas avancer, allait finir par s'estomper. Je m'encourageais mentalement. « Allez, tu vas y arriver. T'es capable. Si t'arrêtes aujourd'hui, c'est pour toujours. Cours. Cours! » Puis, la magie a opéré.

Le second souffle. Je ne courais plus, je volais. Mon corps s'était libéré de mon esprit et je m'élançais sur la piste comme une balle de fusil.

Ce jour-là, je courais à quelques mètres derrière elle. J'utilisais sa foulée pour me motiver. Un objectif à atteindre. Le prochain pas. Je ne la connaissais pas, mais je la croisais régulièrement dans le parc. Lorsque j'ai senti l'énergie s'emparer de mes jambes, j'ai sprinté pour la dépasser. C'est le genre de petit plaisir que je m'offre parfois. Me mesurer aux meilleurs que moi. Elle a spontanément tourné la tête en entendant le bruit de mes pas sur le sol gelé. J'ai vu dans son regard qu'elle était rassurée. C'était seulement moi. Les filles, on s'imagine toujours le pire. Surtout l'hiver lorsque les coureurs se protègent le visage avec un cache-nez. Elle m'a dit bonjour. Depuis, nous sommes inséparables.

Florence a trente-deux ans, tout comme moi. Mais elle est beaucoup plus âgée. C'est une vieille âme. Il y a une profondeur dans ses réflexions qui ne peut s'expliquer que par un vieillissement prématuré de sa psyché. En fait, elle est née telle quelle, déjà mûre. C'est un peu comme si elle avait emmagasiné l'expérience des générations passées, les avait digérées pour en retirer le meilleur. Elle est déjà arrivée ailleurs.

— Vas-tu t'en occuper ? elle a demandé.

— Non, j'ai répondu.

Le cadran de la cuisine marque treize heures lorsque je sors de la douche. L'eau froide sur ma peau est l'une des sensations que je préfère. C'est en partie pour cela que je cours, pour sentir ensuite l'eau glacée fouetter mon sang chaud sous mes muscles endoloris. Je m'entraîne aussi par gourmandise. Ces journées-là, je mange tout ce qui me fait envie. Aujourd'hui, j'ai préparé une recette de pâtes à base de feta et de poivrons grillés.

J'ai cuisiné en écoutant Arielle Dombasle. Elle chantait « *Amor Amor Amor* » en étirant les *a* et les *m*, et en roulant les *r*. À part deux mots, *Amor* et *Esperanza*, je ne comprends rien, mais ces deux mots me suffisent amplement. Ils remplissent la pièce et me mettent de bonne humeur. De plus, je trouve que le ton langoureux de la mélodie accompagne bien le geste de couper les poivrons. Malheureusement, la chanson ne fait que deux minutes quarante et une. Un chiffre anodin pour une si belle composition.

Éos déteste quand j'écoute de la musique à tue-tête en dansant comme un derviche tourneur. Elle en profite généralement pour changer de pièce, non sans m'avoir jeté un regard hautain en passant. Je la trouve précieuse pour une chatte qui vivait dans la rue il n'y a pas si longtemps. Je crois qu'elle souffre d'un complexe lié à ses origines douteuses. Elle se juge durement et en fait souffrir les autres. Comme Arielle n'a pas réussi à me faire danser, Éos est restée étendue sur le plancher à se faire chauffer le ventre au soleil qui entre par la fenêtre.

Je l'ai trouvée l'hiver dernier. J'étais passée chercher un outil à la boutique. Le temps d'entrer et de ressortir, elle s'était installée sous ma voiture. Si je n'avais pas échappé mes clés dans la neige, je ne l'aurais pas remarquée. Je lui ai dit quelque chose comme « minou, minou, sors de là, minou ». Elle m'a regardée d'un drôle d'air. Cet air hautain qui m'est aujourd'hui familier et dont elle me gratifie quand je danse. Je me suis installée dans la voiture et j'ai démarré le moteur. Elle est allée se réfugier dans l'entrée de la boutique. Pas à la course comme un chat effrayé, mais avec sa démarche nonchalante de princesse orgueilleuse. Je suis partie en l'abandonnant à la tempête qui se levait.

Un coin de rue plus loin, coincée dans un bouchon, je m'impatientais contre les gens qui n'en finissaient plus de traverser l'intersection en dépit du feu rouge. Le visage emmitouflé dans leur capuchon, un foulard solidement noué sur la gorge, les mains enfoncées dans les poches, ils se dépêchaient de rentrer chez eux.

Je ne sais pas quelle idée m'a prise, mais je suis revenue sur mes pas. J'ai fait le tour du pâté de maisons en maugréant contre moi-même, sachant le calvaire que je devrais à nouveau affronter au coin de la rue. Elle était toujours là. J'ai vérifié si elle portait un collier. Elle n'en avait pas. Le plus simple aurait été de lui ouvrir la porte du magasin pour lui permettre de s'y abriter pour la nuit. J'ai imaginé l'état de ma boutique le lendemain matin. Je l'ai prise et déposée sur la banquette arrière de ma voiture en lui expliquant que ce n'était que pour une nuit. Après, elle devrait se débrouiller sans moi. Elle s'est mise en boule avant de sombrer dans un sommeil profond.

Le jour suivant, j'ai placé des affiches sur les poteaux autour de la boutique et dans les cafés avoisinants. J'avais pris une photo d'elle. Son meilleur profil pour être certaine de m'en débarrasser : soit que son propriétaire la reconnaîtrait, soit qu'un quidam se laisserait séduire par son regard de félin insolent. J'avais écrit en lettres majuscules et caractères gras *Chatte trouvée*. Sur certains poteaux, mon affiche côtoyait un avis de chatte perdue. Malheureusement, il ne s'agissait pas du même animal.

À la boutique, chaque fois que j'entendais le grelot de la porte tinter, j'avais l'espoir qu'on venait pour elle. Au début seulement, car plus le temps passait, plus j'appréciais sa compagnie, surtout les nuits d'insomnie. Puis il a neigé et il a plu, et neigé à nouveau. Les affiches se sont décolorées. Certaines ont été emportées par le vent. Les autres, je les ai enlevées. La chatte n'intéressait personne d'autre que moi. Je l'ai appelée Éos un matin où nous avons regardé ensemble l'aurore se lever.

L'édition du lundi de *La Presse* est décevante. À moins d'un événement exceptionnel, le premier cahier est constitué de redites. Celui des *Arts et spectacles* est pratiquement vide. La section *Affaires* est dégarnie. En fait, le seul cahier un tant soit peu substantiel est celui consacré aux voitures. Je le mets automatiquement dans le bac à recycler avec celui des sports.

Même la rubrique des décès est maigre les lundis. Il n'y a que quelques disparus, sept ou huit, tout au plus. Le mercredi, par contre, est une grosse journée avec trente-cinq morts en moyenne. Le sommet est atteint le samedi, avec une quarantaine de décès. Les mardis et vendredis sont des journées ordinaires, dix à vingt avis.

Je ne connais personne qui partage mon intérêt pour la rubrique nécrologique. Mes amis trouvent mon inclination morbide. Le problème chez eux est qu'ils pensent aux morts alors que moi, je les considère de leur vivant.

« C'est avec une profonde tristesse que nous disons adieu à Louise, qui s'est éteinte paisiblement chez elle, entourée de l'amour des siens, après un courageux combat…» « C'est avec un immense chagrin que nous vous faisons part du décès de notre maman chérie… » « Papa tu nous as quittés… nous t'aimons… » « Elle laisse dans le deuil et le chagrin son époux depuis soixante ans… elle lui manquera terriblement… »

Tous ces morts sont nés un jour. Ils sont entrés un matin à l'école. Ils ont cru à l'amour, se sont mariés, ont bâti des maisons. Ils ont caressé des rêves qui se sont peut-être réalisés. Ils ont mis des enfants au monde. Ceux-là mêmes qui les ont portés en terre. Bref, tous ces morts étaient vivants il n'y a pas si longtemps. Les courts textes racontent un peu de leur vie. Et c'est ce qui m'intéresse.

Aucun avis de décès ne paraîtra relativement à la mort de Bouchard. Si je devais écrire quelque chose, je dirais que ceux qui l'ont connu reposent maintenant en paix.

— Bouchard est mort.

Bouchard, disait toujours *Romain mon lapin*. La rime me faisait rire. Bouchard est mort. Je ne sais pas si je devrais rire.

Il est presque vingt et une heures à Kampala. La ligne est bonne. C'est comme si mon frère était dans la pièce à côté. Nous ne l'avons jamais appelé autrement, Bouchard. Jamais papa. Jamais père. Simplement Bouchard.

Romain est à moitié surpris. Il se doutait bien que la nouvelle nous parviendrait un jour par la bande. Il veut savoir comment je l'ai appris et comment il est mort. Il pense qu'on n'est pas tenus de s'en occuper.

— C'est leur problème, dit-il.

Romain est l'archétype du grand frère. Quand j'étais petite, il m'a régulièrement consolée, rassurée et protégée. Adulte, il me conseille, m'encourage et me soutient. Il est l'intellectuel, moi l'artiste. Nous sommes différents et complémentaires. Romain travaille pour Amnistie internationale. Il voyage sur la planète alors que j'évolue dans l'espace restreint de ma boutique. Il intervient dans les grands conflits mondiaux pendant que je règle des problèmes électriques mineurs. Il cherche à influencer l'avenir et moi à réparer le passé. Nous avons un point en commun, la lumière. Celle qu'il tente de faire sur les droits de la personne et celle que je projette sur les espaces.

Je suis toujours surprise d'entendre le parquet craquer sous mes pieds. C'est dans le corridor menant à l'entrée que les bruits se font les plus sonores. J'apprivoise encore ma maison. Ses sons. Ses odeurs. Sa lumière. Trois mois, c'est peu pour une histoire d'amour. Car il s'agit bien de cela. J'avais décrit à l'agent immobilier la demeure dont je rêvais. Une maison qui laisserait entrer la lumière. Un espace dont le cachet original aurait été préservé. Une résidence pas trop grande pour que je puisse l'habiter entièrement. Nous avions visité quatre maisons ce matin-là. J'ai su que c'était là que je voulais m'installer dès qu'il a ouvert la porte.

– C'est parfait, j'ai dit.

Nous venions à peine de pénétrer dans l'entrée que je le pressais de déposer une offre d'achat. Cette maison-là était la mienne. Je l'avais reconnue au premier coup d'œil. C'était l'espace où j'avais envie de vivre, de me développer, de m'épanouir. J'étais enfin arrivée chez moi.

Il est dix-sept heures trente lorsque Pierre sonne. Depuis trois semaines que les travaux ont débuté, j'ai eu le temps d'apprivoiser sa routine. Il commence ses journées à huit heures, fait une pause à midi avant de poursuivre jusqu'à seize heures. Il retourne ensuite chez lui prendre une douche et se changer. Je sais qu'il assure le suivi de ses chantiers en fin de journée.

À la mi-avril, Pierre et ses hommes ont envahi mon sous-sol. Ils ont creusé des trous dans lesquels ils ont coulé du béton armé de tiges d'acier. Je suis descendue à quelques reprises suivre l'évolution des travaux. Vêtus de chiennes, le visage masqué, ils travaillaient couchés sur le ventre à fouiller la terre de leurs pelles aux manches coupés. Ils ressemblaient à des forçats tentant de s'évader. Tout ce beau monde a disparu il y a deux semaines, le temps que le béton sèche.

Ma maison est construite sur un sol argileux. Elle s'est affaissée au cours des années. Je n'aurais jamais pu l'acheter si elle n'avait pas été aussi croche. Mon frère m'a convaincue que c'était une bonne affaire. Il connaissait un professionnel, Pierre en l'occurrence, qui pourrait exécuter les travaux de redressement à un prix raisonnable. Un dans l'autre, j'économisais sur la valeur de la propriété. De toute manière, c'était écrit dans le ciel : quand je me déciderais enfin à accéder à la propriété, je choisirais une maison qui aurait besoin d'être restaurée. C'est dans ma nature de réparer les choses.

— Les travaux de redressement peuvent commencer.
Pierre vient de remonter du sous-sol, l'air satisfait.

— Nous allons mettre un maximum de tension demain et encore mercredi. Elle ne sera pas parfaitement droite, mais beaucoup mieux que maintenant et plus solide surtout.

Chaque fois que Pierre pose son regard sur moi, je me sens belle. C'est évident que je lui plais. Heureusement pour moi, il est trop timide pour tenter quoi que ce soit.

Depuis que je connais Pierre, je l'attends. Chaque matin je guette sa présence. Je choisis mes tenues et m'habille en pensant à lui. Dès le deuxième jour, je lui ai préparé un café. Maintenant qu'il sait que j'aime le café au lait, il passe m'en chercher un tous les jours. Depuis le jour quatre, je lui cuisine un petit quelque chose à se mettre sous la dent.

Hier soir, je lui ai fait des muffins au citron. « *If you want a lover I'll do anything you ask me to.* » L'accord mets et musique n'est pas évident avec Leonard Cohen. Ses chansons s'écoutent bien un verre de vin à la main, mais lorsqu'il s'agit de cuisiner, c'est plus compliqué. Habituellement, je mets du Cohen à la tombée de la nuit. Sa musique se marie bien avec ce qui est fragile et précaire, avec ce qui meurt.

Les deux semaines où Pierre n'est pas passé, je me suis ennuyée. Tout cela ressemble à du flirt. Lui avec ses grands yeux clairs posés sur moi et ses cafés au lait. Moi avec mes tenues soignées et mes petits déjeuners. Les premiers jours, il suivait ses hommes au sous-sol. Puis il s'attardait parfois pour discuter du chantier. Ainsi, nous avons pris l'habitude de faire semblant de devoir discuter des travaux pour prendre le temps de parler de nous.

Nous finissons toujours par clore la conversation d'une manière abrupte. C'est soit lui qui mentionne qu'il doit aller travailler, soit moi. Nous sommes mal à l'aise d'être si bien ensemble. Florence me dit que c'est kafkaïen comme reltion. Je partage son opinion. Elle m'encourage à briser la glace. À provoquer les choses. À défaire le nœud gordien. Lorsqu'elle me parle ainsi, je me gonfle d'une belle assurance qui disparaît dès l'instant où j'ouvre la porte et croise les yeux de Pierre.

Aujourd'hui, l'occasion était particulièrement propice à faire durer la conversation. Nous étions seuls. Sa journée de travail était pratiquement terminée et j'étais en congé. J'ai paniqué. J'avais envie qu'il m'embrasse, mais j'ignorais comment je réagirais s'il le faisait.

La première fois que je l'ai rencontré, il se tenait devant ma porte, l'air étonné. J'avais ouvert avant même qu'il ne se manifeste. Nous nous étions fait peur. Il s'apprêtait à appuyer sur la sonnette. J'allais chercher mon courrier.

— Désolé de vous avoir fait peur. J'ai pu me libérer plus tôt. J'espère que ça ne vous ennuie pas ?

Ça m'ennuyait. Je venais à peine de sortir de la douche. Mes cheveux étaient enroulés dans une serviette, mon visage enduit d'un masque aux trois argiles et aux huiles essentielles. Je portais un vieux jean au-dessus duquel j'avais enfilé un grand t-shirt sous lequel flottaient mes seins libres de toute contrainte.

— Je suis en congé le lundi, ai-je dit pour expliquer ma tenue.

Nous étions descendus au sous-sol. Je tenais la serviette d'une main, la rampe de l'autre, tout en surveillant les mouvements sous mon t-shirt. Pierre avait inspecté la structure avec sérieux en suivant des yeux le sens des poutres. Il avait émis plusieurs « Hum ! » et quelques « Hon ! » qui semblaient annoncer des ajustements à l'estimation originale. J'étais restée derrière lui à regarder ce qu'il voyait et à poser des questions que j'espérais intelligentes.

— C'est normal, avait-il conclu. Comme l'argile du sous-sol ne récupère qu'un pourcentage de l'eau de pluie, le sol est entraîné par l'écoulement et les maisons s'affaissent graduellement sous leur poids. Ce genre de problème est fréquent sur le Plateau Mont-Royal. Rien de bien compliqué à réparer.

Debout devant le comptoir de cuisine, il m'avait expliqué la séquence des travaux. Je ne l'écoutais pas. J'attendais qu'il parte. Je pensais à mes cheveux qui devaient commencer à sécher sous la serviette, à mon masque qui devait me donner des allures de pomme ratatinée et à mes seins flottant sous mon chandail. J'ai ramassé Éos qui passait par là et m'en suis servie comme bouclier.

Nous avons raccompagné Pierre à la porte en formation serrée. Le temps de récupérer mon courrier, mon regard avait surpris le mouvement du rideau qui reprenait sa place dans la fenêtre d'en face. C'est à ce moment très précis, à

cause de la conclusion à laquelle je soupçonnais ma voisine d'être déjà arrivée, que j'ai vu en Pierre un amoureux
potentiel.

J'ai choisi le célibat il y a deux ans. Parfois je compare ma
vie sentimentale à une boîte de chocolats. Je choisis toujours
la même sorte. Des caramels durs sur lesquels je me casse
les dents. C'est la métaphore que j'utilise pour expliquer à
Florence mon désir d'aller vers d'autres types d'hommes. Au
pire des caramels mous. Au mieux des truffes, des chocolats
fourrés au café ou à la framboise.

C'est pourquoi lorsque Gabriel est parti, j'ai décidé de rester seule jusqu'au jour où je serais capable d'opter pour une
nouvelle variété. Pour faire un choix différent, je dois changer. Changer quoi ? Je l'ignore. Alors j'attends.

Plus par habitude que par conscience professionnelle, j'ai
pris mes messages dans ma boîte vocale à la boutique. Il y en
avait quatre. Le premier est de madame Dubois. Elle a tenté,
une fois de plus, de me joindre un lundi. Les sons aigus émis
par sa bouche fripée et crevassée au rouge à lèvres vermeil
m'agressent.

– Ah oui ! C'est vrai… j'avais oublié… vous êtes fermée le
lundi… c'est que… les autres boutiques… elles, elles sont
ouvertes…

Le sport préféré de madame Dubois est le reproche.
Parfois, comme aujourd'hui, elle s'attaque aux heures d'ou-
verture. Autrement, ce sont les prix et, très souvent, la qualité
du service. La vérité est qu'elle adore ma boutique. La seule
façon qu'elle a trouvée pour passer du temps avec moi est de
se plaindre. Nos discussions interminables sur ses doléances

non fondées occupent une partie de ses temps libres et de mes après-midis surchargés. Un jour, je lui installerai un fauteuil et je l'inviterai à faire partie du décor. Ce sera ma façon de lui faire savoir que moi aussi, je l'aime bien. Entretemps, elle me casse les pieds.

Le second message est celui du propriétaire d'une lampe que je dois livrer demain. Il m'avise qu'il ne pourra pas venir, pas avant vendredi. Une autre cliente m'a aussi laissé un message. Elle va passer la semaine prochaine me montrer des échantillons de couleurs pour un abat-jour en chiffon. La dernière personne a raccroché sans rien dire. Bref, rien qui ne peut attendre à demain.

J'ai toujours été fascinée par la lumière. Le premier rayon que j'ai remarqué est celui qui filtrait sous la porte de ma chambre. J'étais intriguée par cette raie lumineuse s'ombrageant au rythme des va-et-vient dans le corridor. Plus tard, je me suis rendu compte que la lumière entrant par la fenêtre de ma chambre projetait un rectangle plus clair sur le mur à côté de mon lit. Je m'inventais des personnages avec l'ombre de mes mains et leur créais des drames, des histoires d'ogres poursuivant des lapins dont je tentais de sauver la vie.

Je devais avoir sept ans lorsque j'ai compris que la lumière traversait l'eau. Je regardais son reflet dans le fond de la piscine en faisant l'étoile. Je revenais à la maison le dos brûlé par le soleil. C'était sans importance. Pour un court instant, j'avais fait partie de l'activité cosmique. J'étais une étoile au cœur d'une galaxie de lumière frissonnante.

Je n'ai pas tout de suite remarqué que la lumière variait selon les saisons. Sa complexité m'a été révélée un matin d'automne. Les parents de mon ami François m'avaient invitée à leur chalet.

– Regarde la lumière…

J'étais devenue une adolescente pas trop mal fichue. François et moi admirions la forêt rouge et or. La lumière était douce. L'automne prenait place. Ce jour-là, j'avais espéré qu'il m'embrasse. Nous étions assis sur une roche face au lac, à l'abri des regards de ses parents. Cela aurait été mon premier baiser. Je m'en serais souvenue toute ma vie. Il ne l'a pas fait. Il rêvait de Charlotte. Une fille aux longs cheveux noirs dont les yeux formaient une fine ligne qui s'étendait à l'infini.

J'ai conservé de cette matinée d'automne un goût aigre-doux. L'impression d'avoir vu mais de ne pas avoir été vue. Depuis, je suis sensible aux variations de la lumière et à ses effets sur mon humeur. Je me sens mieux au fur et à mesure que le jour se lève. Le coucher du soleil menace par contre ma sécurité intérieure. Je deviens inquiète, soupçonneuse, sombre. Lorsque la nuit me fait basculer du visible à l'invisible, mon imaginaire prend le dessus et me plonge dans un univers lugubre. Les ombres qui ont longtemps été mes compagnes de jeu deviennent des personnages terrifiants.

Lorsqu'il a été question de ce que je ferais plus tard, ma mère m'a proposé de devenir éclairagiste sur des plateaux de tournage. Parce que j'aimais la lumière, elle me conviait à vivre dans l'ombre. En fait, sa suggestion m'a amenée à clarifier mon rapport à la lumière. À statuer sur la position que je voulais occuper relativement à celle-ci. Entrer dans la lumière ou vivre dans le noir ? J'ai compris que je voulais jouer avec elle comme dans la piscine lorsque je faisais l'étoile.

Plus tard, dans ma période artistique vers quatorze ans, j'ai acheté de la peinture et des toiles. À mon tour, j'ai cru pouvoir capturer et peindre la lumière. La réalité m'a vite rattrapée. Je restais des heures assise devant mes toiles blanches sans savoir quoi peindre ni comment le faire. Un matin, je me suis levée et j'ai apporté tout mon attirail d'artiste déchue à la prison des femmes. Je ne sais pas pourquoi, mais j'ai pensé qu'il y aurait quelqu'un, entre ces murs, qui saurait faire mieux que moi.

À dix-huit ans, complètement désillusionnée, j'ai accepté un emploi dans un magasin de pièces d'automobiles. Je passais mes journées à saisir des données, d'abord manuellement, puis sur un clavier relié à un ordinateur central quelque part dans le monde. Cent vingt-deux barres d'attelage vendues. Trois cent quarante-huit filtres à commander. Trois anti-rouilles en vaporisateur à retourner. Mille tapis toute saison en caoutchouc à prix réduit. Six cent soixante-dix-huit pneus en entrepôt. Plus j'empilais les chiffres et plus je m'enfonçais. J'avais l'impression de devenir bête et personne ne pouvait rien faire pour moi.

J'en étais presque arrivée à oublier combien j'aimais la lumière lorsque le grand-père d'une amie est décédé. Le vieil homme avait occupé sa retraite à collectionner des lampes. Deux semaines après ses obsèques, je suis descendue dans le sous-sol de sa maison. J'y ai découvert une caverne d'Ali Baba et avec elle, un vrai projet de vie. Réparer la lumière. Sortir des objets anciens de l'ombre pour éclairer de nouveaux espaces. Utiliser des outils du passé pour faire la lumière sur le présent. Cela m'a rappelé cette fois où je m'étais égarée. Le sentiment de joie intense qui m'avait envahie lorsque j'avais enfin retrouvé mon chemin. Je ressentais la même exaltation, la même délivrance.

Grâce à la complicité de mon amie, à la générosité de la veuve et à l'aide financière de Romain, j'ai pu acquérir le contenu du sous-sol. D'un seul coup, je devenais propriétaire d'une soixantaine de lampes, de presque deux fois plus d'abat-jour, de plusieurs kilomètres de fils électriques, de caisses d'ampoules, de sacs de vis, d'une quantité innombrable d'outils et d'un étonnant bric-à-brac d'objets anciens aux usages indéfinissables.

J'avais passé le printemps et une grande partie de l'été suivant à restaurer les lampes. Installée dans un atelier de fortune, le garage emprunté d'un ami, la porte grande ouverte, j'avais consacré toutes mes fins de semaines à décaper, à plaquer et à refaire les connexions de mes lampes. Mon travail suscitait la curiosité des passants. Les plus hardis s'arrêtaient, posaient des questions, s'intéressaient à mon travail et à ses résultats. Spontanément, sans aucun effort de ma part, je m'étais constitué une clientèle.

J'avais tout vendu avant même d'avoir terminé la remise à neuf de mon inventaire. L'argent recueilli m'avait permis d'acheter d'autres pieds de lampes, des carcasses d'abat-jour et des outils plus récents, mais surtout de laisser tomber les pièces d'autos. Cinq ans plus tard, je devenais colocataire d'une boutique sur l'avenue Mont-Royal. Ma partenaire d'affaires vendait des meubles, de beaux objets que j'éclairais de mes lampes. Nous avons eu un tel succès que nous avons été obligées de nous séparer. C'était il y a sept ans. Depuis, j'ai pignon sur la rue Saint-Laurent, plus au sud.

J'aime cette rue qui délimite ce qui appartient à l'ouest de ce qui fait l'est de la ville. Mais ce que je préfère le plus de cette artère, c'est qu'elle dicte la numérotation civique de toute une ville. Elle impose son rythme aux rues, avenues et boulevards qui étendent leurs tentacules à partir de son tracé. Je suis consciente de m'être installée au milieu de tout et de nulle part. Au centre du monde. Au cœur du vide pour faire la lumière.

Comme toutes mes journées de vacances, je n'ai pas vu celle-ci passer. Il est dix-huit heures trente-cinq lorsque je mets ma dernière brassée dans la laveuse et le poulet à réchauffer. Je suis parvenue, malgré mes multiples déplacements, à éviter la zone minée du salon où la carte professionnelle de *Jacinthe Martin, Liaison coroner, Morgue de Montréal* traîne toujours sur la table à café. Je suis tombée dessus lorsque j'ai déposé mon verre de vin alors que je croyais avoir réglé tout ce qui devait l'être. Je suis allée la ranger près du téléphone dans la cuisine avant de revenir m'asseoir au salon. Une manière de gérer les problèmes consiste à les déplacer.

J'ai enfoncé quelques notes sur le piano avant d'aller me coucher. J'ai déniché l'instrument chez un notaire dans les Cantons de l'Est. Maître Tanguay m'avait demandé de repenser l'éclairage de sa résidence. C'est la première chose que j'ai vue en entrant chez lui. Le piano. Imposant, inspirant, muet. Je suis allée vers lui. Son bois était doux comme de la soie. Il sentait le citron. On venait de l'astiquer, de le bichonner.

— Vous jouez ? a-t-il demandé.

— Un jour, j'ai répondu.

Le piano était là lorsqu'ils avaient acheté la maison. Il n'appartenait pas au propriétaire précédent. Peut-être à celui d'avant. En fait, personne ne savait d'où venait l'instrument. Un gros bibelot. Il me semblait l'entendre sous le couvercle. Des notes étouffées et tristes. Il pleure, j'ai pensé. « Le piano en échange de lampes, lui ai-je aussitôt proposé. Je sors l'un et fais entrer les autres. »

— Marché conclu, a fait maître Tanguay.

Depuis, j'ai suivi des cours. Aucun talent mais beaucoup de détermination, a dit le professeur. Je pratique régulièrement mes gammes en espérant qu'un jour les notes s'envoleront sous mes doigts. Vendredi, il y a deux semaines, juste avant de disparaître, Pierre s'est installé sur le banc, le temps que je lui signe un chèque. Il a soulevé le couvercle, enfoncé une note, puis une autre. Soudain sa voix a envahi le salon comme le silence une cathédrale. « Ne dis rien on se penserait au bout du monde. Ne dis rien on se croirait tout seul au monde. Ne dis rien il y a toi et moi et ça suffit. »

Le temps venait de s'arrêter. Le piano habituellement si silencieux venait de prendre vie. Je regardais Pierre enfoncer les notes sans même les chercher. Les yeux fermés, on aurait dit un somnambule. J'ai espéré qu'une fois la pièce terminée, il se lèverait et on s'embrasserait comme Humphrey Bogart et Ingrid Bergman sur le tarmac de l'aéroport, dans *Casablanca*. Il ne l'a pas fait. Il a refermé le couvercle et s'est mis à parler de ses parents. La mélodie de Claude Léveillée l'avait ramené chez lui, dans la maison de son enfance, au piano.

— Mes parents étaient pédiatres. Ils auraient aimé que je sois médecin comme eux. Moi, je voulais construire des maisons. Ils nourrissaient de grandes ambitions. Je n'en ai satisfait qu'une, le piano. Je ne serai jamais un grand artiste mais lorsque je m'assois pour jouer, ils s'installent comme s'ils assistaient à un concert, avec révérence. Ils m'écoutent en silence, n'applaudissent qu'à la fin et en redemandent jusqu'à ce que je quitte le salon. Je ne cesserai jamais de jouer, simplement pour les remercier de tout ce qu'ils ont fait pour moi… et tout ce que je n'ai pas fait pour eux.

Il est parti sans m'embrasser et c'est là que je me suis souvenue qu'il n'y a pas de baiser dans la scène finale de *Casablanca*, seulement l'ardent désir de ce baiser.

J'ai envie. La pièce qu'on m'a indiquée s'apparente davantage à un bureau qu'à une toilette. Il y a une cuvette et rien d'autre. Je baisse mon pantalon et m'assois. J'entends des voix dans mon dos. Derrière une grande vitre cachée par un rideau, deux hommes sont en entrevue. Je conclus que l'un d'eux est le thérapeute et l'autre le patient. J'ignore qui a pensé cette installation, mais c'est une mauvaise idée.

Soudain, deux mains sortent de chaque côté des rideaux. Elles me saisissent à la gorge. On m'étrangle. Mon visage devient chaud. Il se boursoufle. Mes yeux cherchent à jaillir de leur orbite. Je tente de crier, mais aucun son ne sort de ma bouche. Personne ne sait qu'on me tue. Personne ne viendra à mon secours. Je vais mourir les fesses à l'air. J'arrive à me retourner. Mes yeux croisent les siens. L'homme prend peur. Il lâche prise. Je tousse, je crache, courbée sur la cuvette.

La porte de la toilette est violemment projetée contre le mur. J'ai à peine le temps de relever la tête que l'inconnu me prend de nouveau à la gorge. Je tente de desserrer son étreinte mais il est beaucoup trop fort pour moi. Son image devient de plus en plus floue. Je bascule dans l'inconscient. Je meurs à bout de souffle. Dans un ultime geste de désespoir, j'essuie mes fesses et lui beurre le visage de merde. Il me traite de salope et part en courant.

Je n'ai pas été capable de retrouver le sommeil. En fait, j'ai eu peur de retourner dans cette pièce. D'avoir encore à défendre ma vie. J'ai sorti Éos du lit et l'ai emmenée dans la cuisine. Je l'ai installée sur mes cuisses en attendant que le jour se lève. Chaque minute, l'horloge laisse tomber son aiguille. J'aurais aimé parler à Florence. Elle aurait su me rassurer. S'il s'agissait d'une vraie urgence, je lui aurais téléphoné. Ce n'est pas une urgence, pas même une crise. Seulement le besoin de ne pas être seule. Je me suis repliée sur Éos et sur les biscuits. Cette nuit, j'ai fait trois douzaines de biscuits au beurre d'arachide. J'en ai mangé une demi-douzaine en écoutant Leonard Cohen. « *Everybody knows that the war is over. Everybody knows that the captain lied. Everybody got this broken feeling. Like their father or their dog just died.* »

Une voiture de police passe en hurlant. Une ambulance la suit. Elle hurle aussi. Les douleurs ont leur bruit respectif. Bang! Le journal vient de m'être livré. Un coup sec dans le bas de la porte. Le son du papier roulé projeté avec force contre le bois me réveille tous les matins. Je me soulève brusquement, les oreilles dressées comme un chien. Éos fait pareil avec ses oreilles de chatte. Je me recouche en me promettant de téléphoner au journal. Je l'ai fait à maintes reprises. Le message ne semble pas se rendre. Peut-être que mes pourboires ne sont pas suffisamment généreux. Je devrais investir davantage dans mon sommeil. Éos ronronne. Je sors mes bouchons du tiroir et les enfonce dans mes oreilles.

Cet homme qui m'étrangle, c'est Bouchard. Ma psychologue me dira plus tard que ce n'est pas lui. L'agresseur, c'est moi. Je suis celle qui étouffe et celle qui est étouffée. Elle dira que je porte beaucoup de colère en moi. Je lui répondrai en rigolant que dans ce cas-là, la merde était peut-être les raisins de la colère. Je me demande si elle me trouve drôle avec mes histoires tristes.

La première fois que j'ai consulté la psychologue, c'était relativement à des problèmes de toux. Je toussais sans arrêt. Une toux sèche qui me semblait davantage liée à des allergies qu'à une grippe. J'avais essayé des antiallergiques, puis des granules homéopathiques avant d'aboutir sous les aiguilles d'un acupuncteur. Je toussais toujours. Je suis passée voir mon médecin de famille.

– Comment ça va ?

Il m'avait tâté le derrière des oreilles avant de plonger ses yeux dans le fond de la gorge. Un peu grognon. Légèrement autoritaire. Un brin glacial. Il dégageait malgré tout une certaine tendresse que je qualifierais de tranquille.

– Ça va…

– Ça va comment ?

– Ça va…

– Et avec Gabriel ?

Un énorme sanglot s'était formé dans ma gorge et, comme un éternuement qui nous prend par surprise, une rafale de larmes avait jailli de moi. Mes pleurs avaient la violence des vagues qui heurtent le roc d'une falaise un jour de tempête. Je ne savais pas pourquoi je pleurais, mais je comprenais que je n'allais pas bien et que Gabriel en était la cause.

J'avais suivi le médecin jusqu'à son bureau en me mouchant et en toussant. Il me fixait d'un air découragé. Je sentais mes épaules lourdes sur mon dos. Mon dos lourd sur mes hanches. Mes hanches lourdes sur mes cuisses. Le bon docteur avait griffonné un numéro de téléphone sur une ordonnance.

– Vous étouffez, vous n'avez pas besoin de médicament, vous avez besoin de parler, qu'il avait dit en me tendant le bout de papier.

Je ne suis pas allée voir la psychologue immédiatement. J'avais honte. Honte de la souffrance que je portais. Honte de n'être pas capable de m'en sortir toute seule. Un jour, j'ai toussé si fort qu'un goût de vomissure m'est monté à la gorge. Ce jour-là, j'ai pris rendez-vous avec elle.

MARDI 5 MAI

Les ouvriers ont disparu au sous-sol avec leur équipement. Je déduis de l'expression de Pierre que j'ai mauvaise mine. Je bois mon café en évitant son regard. Les bulles du lait me semblent plus grosses que les autres matins. Ça mériterait une photo. Je la classerais dans ma série *Bonheur*. D'ailleurs, j'ai déjà pris une photo de mon lit pour cette même série.

J'ai acheté des draps la semaine dernière. Un ensemble coquille d'œuf avec un imprimé de petites fleurs bordeaux auxquelles sont accrochées des feuilles noisette. Hier, j'ai refait mon lit. Avant de quitter ma chambre, je me suis retournée pour vérifier l'effet avec ma housse de couette champignon. C'est à ce moment-là que l'idée de créer une série sur le bonheur est née. En fait, c'est plutôt lorsque je me suis couchée et que j'ai aperçu le champ de coquelicots au bout de mon nez. J'ai alors compris qu'il s'agissait d'un moment heureux. Je me suis relevée. J'ai sorti mon appareil photo et j'ai fait un zoom sur une fleur.

Je tourne les pages du journal. Pierre souffle sur son café. Je lui suis reconnaissante de ne pas se sentir obligé de meubler le silence. Le silence ne m'effraie pas, contrairement à la noirceur, même si les deux me confrontent au vide.

Il semble attendre quelque chose de moi. Probablement une explication. Il croit que j'ai envie de parler de ce qui me tracasse. Il se trompe.

— J'ai mal dormi.

Je ne recherche pas la compassion. Je tente simplement de justifier mes traits tirés. Puis, pour ne pas qu'il me pense insomniaque, j'ajoute que mon père est décédé. Il est désolé.

— C'est pas une grosse perte.

Dès que les mots sortent de ma bouche, je les regrette, surtout parce qu'on ne lance pas une telle affirmation au visage de quelqu'un sans explication. Je vais devoir lui donner quelques éclaircissements.

— C'était pas un bon père.

Je lui demande s'il a des enfants. Il a un garçon de quatre ans, Maxime. Il vit avec lui à temps plein. La mère a disparu au moment du divorce il y a trois ans. Elle s'est installée au Mexique avec un artiste. La première année a été difficile. Son fils cherchait sa mère. Pierre cherchait le père célibataire en lui. Depuis, ils ont trouvé leur rythme.

Pierre ne m'a pas retourné la question. Depuis le temps qu'il entre et sort de chez moi, il a compris que j'étais célibataire et sans enfant. Je suis contente qu'il n'ait pas tenté d'en savoir plus. Il s'agit d'un terrain glissant. J'ai rencontré plusieurs spécialistes. La mécanique est parfaite, apparemment. Mon médecin, celui qui m'a envoyée chez la psychologue, soutient que le problème est dans ma tête. Un blocage psychologique, qu'il m'a dit sans ambages ni bienveillance. Tous les experts consultés abondent d'ailleurs dans le même sens et sur le même ton : « À priori, rien ne vous empêche d'avoir des enfants. »

C'est mon incapacité d'avoir des enfants qui a sonné le glas de ma relation avec Gabriel. Il voulait être père. Je n'étais pas capable de combler ses attentes. Notre vie de couple tournait au drame tous les vingt-huit jours. Mes anniversaires avaient pris des allures de compte à rebours. J'étais terrorisée par le temps qui passait et l'attitude de Gabriel ne faisait qu'aggraver les choses. Et puis, il y a eu cette histoire avec la fille. J'ai mal réagi. Il est parti.

Ma psychologue croit, elle aussi, que mon problème d'infertilité est d'ordre mental. Elle dit que les enfants de monstres craignent d'enfanter des monstres, alors ils s'abstiennent.

Je prends toujours le même chemin pour me rendre à la boutique. Je descends la rue Berri jusqu'à Marie-Anne que je longe jusqu'à la rue Saint-Laurent. Je tourne à gauche et marche deux pâtés de maisons avant d'arriver à ma boutique. Marcher vers l'ouest, c'est commencer à grimper le Mont-Royal. C'est discret comme pente mais si on est attentif, on remarque le faux plat.

À l'est de la rue Saint-Denis, c'est la campagne ; à l'ouest également. La rue Saint-Denis éventre cette terre de repos en l'affligeant d'une parade quasi permanente de banlieusards qui troquent le bruit des tondeuses pour celui des klaxons. C'est un choc d'enjamber chaque matin cette artère dont les sons agissent sur moi comme un second réveille-matin. Une fois ce cirque traversé, je retrouve le calme d'antan au gré de mes pas qui croisent rues et ruelles jusqu'à mon autre chez-moi.

Me rendre à la boutique fait partie d'un rituel qui s'amorce chaque matin de la même manière. D'abord l'étonnement me frappe de plein fouet dès que sonne le réveil. Il est sept heures trente, déjà ? Incrédule, je regarde les aiguilles. Une autre nuit de passée. J'embrasse ma chatte sur le front. Elle étire ses pattes et secoue la tête comme pour se débarrasser de ce premier baiser. Les yeux mi-clos et les moustaches décontractées, elle commence une nouvelle journée, elle aussi.

Question de commodité, je sors du lit à droite pour passer directement à la salle de bain. Éos me suit dans le corridor mais poursuit sa route vers le débarras, derrière la cuisine, où se trouve sa litière. Viennent ensuite le brossage de dents, l'allumage de la radio, le café, la vitamine, le petit déjeuner, la lecture des grands titres du journal et de la rubrique nécrologique. Une fois que je suis au courant de tout et que ce qui doit être ingurgité ou éliminé l'a été, je m'habille. C'est le début de la troisième séquence. Le maquillage constitue la dernière étape avant le départ. Une heure quinze se sera écoulée depuis mon réveil avant que j'entame mon expédition vers l'ouest.

Je ne suis pas la seule à m'enliser dans la routine. Éos a aussi un horaire régulier. En fait, elle se colle au mien. Elle se lève à la même heure que moi, se met au lit en même temps et savoure son déjeuner pendant que je prends mon café. Elle se tient près de la porte lorsque je quitte l'appartement et je la retrouve au même endroit quand je reviens le soir. Elle est solidaire de mon encroûtement.

Il n'y a pas que nous deux qui parcourons le monde toujours dans la même direction et au même rythme. Ainsi, chaque matin, je rencontre au coin de la rue Marie-Anne et de l'avenue Laval une maman qui porte son bébé sur l'estomac. Solidement harnaché au torse de sa mère, l'enfant se dirige vers la garderie. Depuis que le beau temps est revenu, je croise aussi un cycliste qui descend la rue Saint-Denis à vive allure. Plus loin, il y a toujours la même femme qui tend la main : « S'il vous plaît ? » Lorsque je lui donne de l'argent, elle dit : « Que Dieu vous bénisse. » Comme je ne veux pas être bénie par quiconque, je restreins mes aumônes. Le samedi, sur le chemin du retour, il y a un Asiatique qui nettoie sa voiture avec un *squeegee*; je lui fais toujours un petit signe de la tête en guise d'encouragement.

Je sais que la routine est une réalité universelle. Chaque jour, partout dans le monde, des centaines de millions de gens se lèvent, se nourrissent, se rendent au travail et s'endorment au rythme d'un métronome. Je crois que c'est pour cela que la terre maintient sa position en orbite, par la force de gravité des humains qui tournent en rond.

Cette routine se poursuit quand j'ouvre la porte de ma boutique. Chargée d'une bonne dose d'adrénaline, je me précipite sur le système d'alarme, craignant l'arrivée en trombe des policiers qui n'hésiteront pas à me mettre en joue. Je l'ai vécu deux fois, c'est assez. J'ouvre ensuite la boîte électrique et il suffit d'un simple geste de la main pour que toutes mes lampes s'illuminent d'un coup. Les premières années, alors que je n'avais que quelques lampes, je faisais le tour de chacune d'elles et les allumait une à une, d'un mouvement rempli de tendresse. Je leur porte toujours la même affection, mais telle une mère qui aurait de nombreux enfants sur qui veiller, j'ai dû m'organiser.

Un des moments qui arrivent toujours à m'émouvoir est celui où je débarre la porte de ma boutique. Chaque fois le souvenir du premier jour où j'ai posé ce même geste me revient en mémoire. Je me rappelle combien j'avais peur que personne ne vienne me rendre visite, que mes belles lampes restent invendues et qu'à un moment donné, je sois obligée de refaire en sens inverse tous les gestes qui m'avaient permis d'en arriver là, c'est-à-dire tourner la clé dans la serrure. Heureusement pour moi, les affaires vont bien.

Ainsi mes journées se suivent, semblables les unes aux autres. La visite des clients réguliers. Les mêmes questions posées par différentes personnes. Des besoins similaires en éclairage. Des problèmes récurrents de facturation. Et la porte qui se referme toujours derrière moi à dix-huit heures. J'ai la sensation de recommencer *ad vitam aeternam* la même journée, de faire du surplace comme le gars dans *Le jour de la marmotte*.

J'adore ma vie, là n'est pas la question. Mon malaise est tout autre. Il concerne une dimension plus complexe que la routine, plus ésotérique que le simple mouvement régulier du balancier. En fait, je me demande si je suis vraiment là. Si je suis vraiment moi ou plutôt la somme des autres. Cette vie que je porte, tantôt avec allégresse, tantôt comme un poids, est-elle l'aboutissement des attentes, des déceptions, des peines et des joies de ceux qui m'ont précédée ? Est-ce que je vis ma propre histoire ou corrige la leur ? Je voudrais que quelqu'un puisse me dire si je suis un être libre ou si j'avance poussée par la masse compacte que forment mes ancêtres ?

J'ai déjà eu cette conversation avec Florence. Nous venions de gravir le mont Royal au pas de course. Nous reprenions notre souffle, assises sur les marches du chalet. Je ne sais pas ce qui m'est passé par la tête, mais je lui ai sorti cette question d'un seul coup comme on retire une motte de cheveux bien grasse du renvoi de la baignoire.

Elle aurait pu me regarder bizarrement ou me répondre avec légèreté. Elle ne l'a pas fait. Elle a pris le temps d'examiner ses mains. La ville. Les arbres avec leurs jeunes pousses. Et encore ses mains. Puis elle a dit quelque chose dans le genre : « Personne n'est entièrement libre, mais on peut le devenir si on arrive à donner un sens à ce qui nous échappe. » J'ai croqué dans ma pomme et j'ai cherché au loin à identifier ce qu'elle avait vu.

Il y a deux messages dans la boîte vocale. Madame Dubois m'annonce qu'elle va passer en après-midi, « au cas où mon abat-jour serait prêt ». Il ne l'est pas. Il n'y a pas de deuxième message. La personne a raccroché au son de ma voix préenregistrée. Comme à l'habitude, j'occupe cette première heure de travail à faire le suivi auprès de mes fournisseurs.

Je téléphone d'abord à Mireille, ma couturière. Ses doigts de fée cousent le chiffon et les autres tissus délicats de mes abat-jour. Je lui téléphone en premier simplement parce qu'elle est la plus agréable de tous mes fournisseurs. Mireille est toujours de bonne humeur, quelle que soit la météo ou l'heure. Tout va bien. Elle me livrera mes carcasses habillées de neuf comme prévu. Après, je compose les numéros un peu au hasard. La journée étant bien partie, je me sens à l'abri des infortunes.

Ce matin, je suis particulièrement chanceuse. Emmanuelle, qui est d'un naturel peu fiable, me promet que la lampe torchère me sera rendue cet après-midi, ce qui me permettra d'effectuer la finition pour vendredi. Emmanuelle est excellente pour restaurer la porcelaine. Par contre, elle travaille à son rythme, entre deux bouffées de chaleur, ponctué de sautes d'humeur et ralenti par des nuits d'insomnie. Elle me rappelle ma mère à une certaine époque de sa vie. Ces journées-là, elle implorait notre compréhension, faisant valoir sa propre indulgence durant notre adolescente. « C'est la faute des hormones », elle disait. Emmanuelle n'a pas à m'expliquer, je comprends, du moins je crois.

Mon ébéniste me confirme que le décapage des trois lampes sur lesquelles il travaille va bon train et mon fournisseur d'abat-jour en toile m'avise que ma commande est en route. Décidément, la journée s'annonce bonne.

— Ben *làà*... aimeriez-vous *çaaa* vous qu'on vous laisse devant une fenêtre au gros *soooleil* toute la journée ? Ben les plantes... c'est *paaareiiilll*...

Immanquablement, chaque fois que je lui pose une question, pertinente ou pas, il me répond comme si j'étais idiote. Lui, c'est le fleuriste de *Côté fleurs*, là où je fais assembler les arrangements floraux pour ma boutique. Monsieur Côté, que j'ai toujours appelé ainsi faute de connaître son nom, est grand et maigre avec une grosse face ronde. S'il affichait quelquefois un sourire, il pourrait être un tournesol. Malheureusement, ses humeurs l'apparentent davantage à un chardon. Outre ses allures végétales, il a la manie de mettre l'accent sur les voyelles et de les étirer comme pour affûter ses remarques acerbes. Je devrais aller faire mes achats ailleurs, mais ses fleurs sont belles et je persiste à croire qu'un jour, sa vraie nature se révélera et nous deviendrons amis.

Aujourd'hui, je cherchais un agencement de cactus s'harmonisant avec mes abat-jour couleur terre et mes pieds de lampes en bois joliment disposés dans la vitrine. J'ai compris. On ne peut pas mettre de cactus directement derrière une fenêtre en plein soleil, du moins selon lui.

Jacinthe Martin, *Liaison coroner*, répond directement à mon appel. Je me présente et explique la situation. Je l'entends pianoter sur son clavier d'ordinateur. Elle trouve le dossier. Elle me confirme ce que je sais déjà. Bouchard est mort subitement. Je dois attendre les résultats de l'autopsie pour connaître la cause exacte du décès. Une crise cardiaque probablement.

— Vous avez choisi une entreprise funéraire ?

Heureusement pour moi, elle traite ma défection avec tact. Je dois simplement signer un formulaire de désistement.

Le corps sera enterré sur la Rive-Sud sans autre formalité. Bouchard a toujours aimé les ponts. Il va être content. Ma montre indique treize heures quarante-cinq. Je l'assure que je ferai de mon mieux pour passer avant la fin de la journée. Je laisse un message sur le cellulaire de Romain pour lui faire savoir qu'il n'a à s'occuper de rien. Tout est réglé.

Je déteste lorsque des clientes prennent ma boutique en otage et qu'elles s'en servent comme d'un boudoir. Il y en a deux qui se font la conversation depuis un quart d'heure. Elles ne semblent pas se rendre compte qu'elles obstruent l'entrée et gênent les mouvements des clients. Comme elles parlent fort, j'ai le privilège d'entendre leur histoire.

La grande blonde à la maigreur squelettique relate sa rencontre avec l'homme de sa vie à une fausse rousse au nez aquilin. À ce que j'en comprends, ils se sont croisés chez une amie commune. Elle a senti au premier regard qu'il se passait quelque chose entre eux.

— J'hésitais à m'impliquer, je n'avais pas encore fait le deuil de…

Ce dernier détail m'a malheureusement échappé, car au moment même où Twiggy divulguait le nœud de l'intrigue, une ampoule m'a glissé des mains pour aller se fracasser sur le plancher. Les femmes se sont à peine retournées. J'étais tentée de faire tomber une deuxième ampoule, puis une autre et une troisième jusqu'à ce qu'elles remarquent ma présence.

— On s'est revus deux semaines plus tard. J'ai provoqué la rencontre… j'arrêtais pas de penser à lui…

Elle parle en gesticulant avec ses grands bras qui coupent l'air comme des roseaux fouettés par le vent. Je déplace trois lampes qui sont particulièrement à risque. Elle ne remarque rien. Je croise le regard de l'autre. Elle, elle a compris. Elle prend Twiggy par le coude et l'entraîne vers la porte qu'elles bloquent derechef.

— Nos yeux se sont rencontrés quand je suis entrée dans la pièce, on s'est reconnus. Depuis, on est ensemble...

Twiggy a réussi à extirper un appareil photo de la poche qui lui sert de sac à main. Les deux femmes sont pressées l'une contre l'autre et regardent les clichés qui défilent sur le petit écran. À chaque nouvelle image, l'appareil émet un bip auquel les filles répondent par des « Oh ! », des « Ah ! » et des « Wow ! » Je brasse mes outils en souhaitant qu'elles sentent mon agacement. Elles s'ajustent en haussant la voix.

J'ai atteint ma limite. Heureusement pour elles, le téléphone sonne. C'est Léa, mon employée à temps partiel, qui répond au message que j'ai laissé dans sa boîte vocale. Elle accepte de fermer la boutique à ma place ce soir. Une cliente parvient à entrer en se faufilant entre les deux commères. Ma décision est prise. Je les mets dehors.

— C'est une bête magnifique, je suis contente pour toi. Je suis allergique aux chiens, sinon moi aussi, j'en aurais un.

« Et merde », que je me dis. Twiggy sort avec un chien. Je retourne derrière mon comptoir et commence à trier un sac de vis. Les petites à gauche, les grosses à droite.

— Vous réparez le vitrail ? questionne la fausse rousse.

— Non.

En réalité, oui, mais pour elle je fais un spécial. C'est non.

Je passe le reste de l'après-midi à travailler sur la lampe de madame Dubois. Il m'a fallu presque trente minutes pour choisir la passementerie qui garnira son abat-jour. Chaque fois que j'arrêtais une décision, j'entendais sa voix plaintive. J'ai finalement opté pour une parure café au lait.

Un choix conservateur qui devrait m'éviter le pire. Je fixe la garniture en m'assurant qu'aucune goutte de colle, aussi microscopique soit-elle, ne dépasse. Je m'étais promis de ne pas lui faire cette faveur, de ne pas remonter sa lampe dans l'ordre de mes priorités. C'était avant de me faire la réflexion que je ne pouvais pas décemment laisser tomber à la fois Bouchard et madame Dubois, du moins, pas le même jour.

Il est quinze heures lorsqu'elle fait son entrée dans ma boutique. Elle respire avec effort. Elle a porté jusque chez moi une lourde charge émotive qu'elle semble prête à déverser sur mon comptoir.

Je préfère que la boutique soit déserte quand madame Dubois passe sous l'emprise d'une de ses crises existentielles. J'imagine qu'une voiture l'a frôlée de près. Elle défend l'idée que la rue appartient aux piétons. Elle adore faire la leçon aux automobilistes en traversant où bon lui semble, quand bon lui semble et au rythme qui convient à son âge, c'est-à-dire lentement. Je la vois régulièrement se faufiler entre les voitures en tenant son bras droit levé bien haut, la paume de la main largement ouverte face aux conducteurs. Elle me fait penser à un brigadier scolaire hors d'âge. Cette fois-là, ce n'est pas une voiture qui l'a frappée.

— Je vous offre un biscuit ?

— J'ai fait une crise cardiaque, dit-elle en agitant la tête comme pour chasser une mauvaise pensée.

Pour l'avoir entendue en grande forme dans mon répondeur hier et encore ce matin, et maintenant devant moi en pleine possession de ses moyens, je me demande quand l'attaque a pu se produire. Elle dépose son sac à main sur le comptoir sans faire attention à la dentelle fine de l'abat-jour qui s'y trouve. Je le déplace délicatement pour dégager le tissu fragile et le range sur l'étagère derrière moi. J'ouvre la boîte de biscuits que j'installe entre nous deux. Je mise sur l'odeur du beurre d'arachide pour la tranquilliser.

– Je dois passer des tests.

Je comprends que son médecin a détecté des traces d'un incident cardiaque antérieur sur son électrocardiogramme. Il veut qu'elle subisse d'autres tests afin de confirmer ce premier diagnostic. Elle parle avec une telle intensité que je crains de voir son inquiétude la tuer plus tôt que tard. Je l'invite à se calmer, à prendre un biscuit. Je lui dis qu'il serait triste qu'elle fasse un infarctus dans ma boutique. Elle pourrait renverser mes belles lampes. Elle ramasse son sac et sort en me traitant de sans-cœur. Je plonge la main dans la boîte et entame seule ma deuxième douzaine.

– Vous voulez voir une photo ?

Puisque je n'y suis pas tenue, je décline l'offre de Jacinthe Martin, *Liaison coroner, Morgue de Montréal*. Par contre, l'enveloppe blanche qui contient les effets personnels de Bouchard m'intéresse. Mais comme je refuse de prendre en charge le corps, je n'ai pas droit au contenu de ses poches. Bouchard et ses menus objets appartiennent dorénavant au curateur. Ce dernier va lui assurer une sépulture digne. Celle que je suis indigne de lui offrir. Jacinthe Martin glisse devant moi le formulaire de désistement. Une petite croix au bas de la page marque l'endroit où je dois signer. Je troque une croix pour une signature bureaucratique.

– Êtes-vous la seule héritière ?

Romain va devoir signer le formulaire. J'ai beau lui expliquer qu'il est à l'extérieur du pays, elle dit que c'est obligatoire.

J'examine le contenu de mon réfrigérateur. Un restant de soupe et une salade. Non. Des œufs et des champignons. Non. Je découvre une boîte de haricots rouges au fond du garde-manger. L'odeur du chili me monte au nez. Le dernier de la saison, après il fera trop chaud. Je n'ai pas trouvé de meilleure musique pour accompagner la cuisson des légumineuses que celle de Chet Baker. « *Imagination is funny. It makes a cloudy day sunny.* » Chaude et langoureuse, elle se fond aux haricots qui disparaissent à leur tour dans la sauce tomate.

Je mange le chili en tentant d'imiter la signature de Romain. Je suis sûre d'y arriver. Une dernière séance de contrefaçon demain matin, après quoi je retourne le formulaire de désistement dûment signé. J'espère juste que Jacinthe Martin a oublié le fait que mon frère est présentement à l'extérieur du pays. Au nombre de morts qu'elle gère chaque jour, elle doit bien perdre le souvenir de quelques petits détails de la vie quotidienne des survivants.

Le premier mur à se fissurer a été celui de ma chambre. Trois grandes lignes verticales sont apparues d'un seul coup. On aurait dit les marques laissées par les griffes d'un chat qui aurait tenté de s'accrocher à la pente d'un toit.

Je suis étendue sur mon lit et surveille l'évolution des fissures. Tel un enfant qui se rebellerait devant l'autorité, ma maison proteste devant l'obligation qu'on lui impose de se tenir droite.

– Tiens-toi droit, je t'ai dit de te tenir droit, va-t-il falloir que je t'attache à ta chaise?

Bouchard réprimande Romain. Toujours lui. Toujours sur son dos. Romain se recroqueville. Il garde les yeux rivés sur son assiette. S'il le pouvait, il se liquéfierait. Il glisserait à travers les barreaux de sa chaise et disparaîtrait. Il ne le peut pas, alors il se tient droit.

Bouchard me regarde de biais. Il coince ses lèvres entre ses dents et fait une horrible grimace. Il n'y a que moi qui peux le voir. Il est vraiment laid. Je pars à rire. Ma mère m'atomise du regard. Il y a tellement de méchanceté dans ses yeux que je me dis qu'elle va me frapper. Elle ne l'a jamais fait et ne le fera jamais. Je ris et j'ai peur de rire. Un liquide chaud se répand dans ma petite culotte. Je cours à la salle de bain. J'entends Bouchard crier que je ne suis qu'une pisseuse. Derrière la porte, je passe du rire aux larmes. Je n'ai plus l'âge de faire dans mes culottes.

— Tiens-toi droit !

Je n'ai jamais aimé Bouchard. Mon frère qui avait toutes les raisons de le détester l'aimait bien. Romain était toujours là à lui offrir des dessins, à lui présenter ses résultats scolaires, à l'inviter à regarder le hockey avec lui. Romain pensait que c'était de sa faute si Bouchard le détestait. Moi je pense que Bouchard détestait tout le monde.

— Qu'est-ce qu'il y a pour souper ? Du lapin ?

Ma mère restait muette. Elle regardait Bouchard. Puis Romain. Puis Bouchard. Bouchard faisait une fixation sur les lapins. Il en parlait tout le temps. Je pensais que c'était parce qu'il les aimait beaucoup. Il disait toujours *Romain mon lapin*. Ce qui avait pour effet de mettre ma mère hors d'elle. Moi j'aimais bien l'entendre dire *Romain mon lapin*, surtout parce que ça rimait, mais aussi parce que j'aimais les lapins. Les vrais. Ceux que je voyais dans les fermettes au centre commercial à l'approche de Pâques, mais aussi les faux. Parmi les faux, mon préféré était Bugs Bunny. Bouchard en avait donné un en peluche à Romain, un certain Noël, mais pas à moi.

Si Romain racontait qu'il était allé au parc, Bouchard lui demandait s'il courait *plus vite qu'un lapin*. Si un ami ne s'était pas présenté au jeu, il lui faisait remarquer qu'il s'était *fait poser un lapin*. Si Romain faisait une gaffe à table, comme échapper le sel dans sa soupe, Bouchard lui disait qu'il agissait en *coco lapin*. Je savais qu'il le faisait exprès de toujours parler de lapins. Les autres ne trouvaient pas ses plaisanteries drôles, mais moi, à chaque fois, je riais aux éclats. Je m'esclaffais parce que Bouchard m'annonçait sa prochaine blague d'un clin d'œil. Alors, dès que je le voyais cligner, j'étais sous tension, je savais qu'une grenade venait d'être dégoupillée et je partais à rire.

Ma mère me répétait ce que je savais déjà. Ce n'était pas drôle. Plus elle me chicanait, plus je riais. Plus je riais, plus elle s'emportait. Elle finissait par me dire d'aller réfléchir dans ma chambre. Je ne savais pas trop à quoi je devais réfléchir, mais je savais que ces diversions permettaient à Romain de prendre congé de Bouchard.

Romain n'aimait pas les lapins. Il n'en parlait jamais et ne trouvait pas drôles les jeux de mots de Bouchard. Une fois, ce dernier lui avait acheté un habit de lapin pour l'Halloween. Romain refusait de se costumer. Bouchard criait après lui. Ma mère pleurait. Romain avait fini par mettre le costume. Une fois dans la rue, il ne voulait pas sonner chez les gens. Il prenait des bonbons dans mon sac pour remplir le sien. Ma mère était d'accord. Moi, je ne voulais pas partager avec lui. Il m'avait pincé le bras et m'avait menacée de jeter ma poupée à la poubelle si j'en parlais à Bouchard. Ma mère avait fait semblant de ne rien entendre.

C'est beaucoup plus tard que je me suis souvenue que la période des farces de lapins avait été précédée de celle des becs. Bouchard insérait continuellement des allusions aux becs dans ses conversations. Il parlait de *prises de bec*, de vouloir *clouer le bec* à quelqu'un, d'avoir envie de *se sucrer le bec* et disait détester les *becs mouillés*. Après avoir longtemps trouvé ça drôle, je me suis rendu compte que tous ces jeux de mots, blagues et remarques diverses étaient des méchancetés dirigées vers Romain qui était né avec un bec-de-lièvre. Avoir su, je n'aurais jamais ri.

Évidemment que ce fut un choc pour mes parents de voir leur fils se présenter à la face du monde avec un cratère en pleine figure. Ma mère m'a raconté combien les premières heures après sa naissance avaient été difficiles. Autant elle l'avait spontanément aimé, autant Bouchard l'avait viscéralement détesté. Il criait que cet enfant n'était pas le sien. Il accusait les infirmières d'avoir fait un échange en faveur d'un père mieux nanti. Il exigeait qu'on lui ramène son propre fils.

Il avait quitté l'hôpital encadré par deux gardiens de sécurité. Il était réapparu une semaine plus tard pour aviser ma mère qu'il refusait de reconnaître légalement l'enfant. Par souci d'équité, lorsque je suis venue au monde en parfaite condition, ma mère a refusé de lui attribuer ma paternité. Ainsi, Romain et moi sommes officiellement les enfants de ma mère. Des Després.

J'ai toujours pensé que ma mère avait choisi le nom de mon frère pour lui donner un peu du courage qu'il lui faudrait pour affronter la cruauté d'autrui avec cette plaie qui lui sciait la lèvre en deux. Lorsqu'elle l'appelait, influencée par les images que j'avais vues à la télévision, je voyais l'Empire romain s'étendre sous mes yeux avec ses milliers d'esclaves travaillant à bâtir de vastes temples, des cirques et des amphithéâtres. J'imaginais un empereur romain, debout, regardant fièrement l'avenir de sa nation se construire et à ses côtés, tout aussi imposant, mon frère Romain. Je mêlais les époques, les données historiques et les thèmes, mais l'idée générale du grandiose que j'associais au destin de mon frère était quant à elle très claire dans mon esprit.

J'avais tort. Ma mère avait choisi ce prénom après avoir lu *La promesse de l'aube* de Romain Gary. Ce prénom n'était donc pas un appel au courage, mais la consécration de l'amour inconditionnel qu'elle lui portait.

Formé du mot vie et du prénom Anne, le mien, Viviane, était censé m'être utile dans la vie. C'est en tout cas ce que ma mère m'a dit un jour. L'idée lui était venue en lisant le conte de *La Barbe-Bleue* à mon frère. « "Anne, ma sœur Anne, ne vois-tu rien venir ? — Je ne vois rien que le soleil qui poudroie, et l'herbe qui verdoie.".... Au dernier moment, les deux frères arrivent et tuent Barbe-Bleue. » Ma mère aimait cette histoire de frères protégeant leur sœur.

Je n'ai jamais su ce que ma mère pensait de son propre prénom, elle qui croyait fermement en leur valeur prémonitoire. Pour ma part, je l'ai toujours trouvé riche de sens. À l'origine, elle devait s'appeler Victoria, en hommage à cette reine dont le règne, le plus long de toute l'histoire du Royaume-Uni, avait donné son nom à une époque.

Malheureusement, ma grand-mère était malade le jour du baptême. Ainsi, lorsque le curé a refusé de baptiser un enfant dont le prénom n'était pas catholique, mon grand-père a trouvé judicieuse sa proposition de la nommer du prénom de la fille de Judée et mère de Jésus de Nazareth. La vérité, c'est qu'il avait profité de sa sortie à l'église pour planifier une escapade galante avec Rita la pâtissière. Il n'avait pas de temps à consacrer à un débat opposant le clergé à la royauté.

Échappant à l'Histoire mais subissant les contrecoups de la morale chrétienne, ma mère qui était destinée à une vie de princesse avait finalement hérité d'un karma de sainte. En ce qui me concerne, ce prénom était tout simplement une manière différente d'écrire le verbe *aimer*.

Bouchard aussi avait un prénom. Il s'appelait Daniel. Un jour où il était rentré ivre mort à la maison et qu'il s'acharnait à expliquer à Romain qu'il n'y avait « pas de putes, juste des saintes cochonnes », ma mère nous a dit que Daniel signifiait *Jugement de Dieu* et qu'un jour Bouchard allait devoir régler ses comptes avec le Très-Haut. Elle ne croyait pas en Dieu, mais Bouchard, oui, et la crainte d'une vie éternelle dans des lieux très inconfortables le terrorisait.

Ma mère, qui avait peu d'occasions d'exercer son pouvoir sur Bouchard, profitait des moments où il était ivre et en proie au délire pour le torturer mentalement. Il s'agit de la seule méchanceté que je lui connais. Encore aujourd'hui, je lui en suis infiniment reconnaissante. Sa cruauté me rassurait. Quelqu'un était en charge.

— Ce sont les flammes de l'enfer, elles te rattrapent…

Ce jour-là Bouchard tentait d'éteindre le feu imaginaire qui s'était propagé à ses vêtements. En vain, il se débattait, secouant ses vêtements et piétinant ce qui lui semblait être des tisons ardents. Il criait et pleurait en même temps. On aurait presque cru qu'il était pris d'un fou rire. Mais ses yeux grands ouverts trahissaient l'horreur de ce qu'il éprouvait. Nous le regardions, hébétés. Il n'y avait pas grand-chose à faire. Ma mère finissait généralement par appeler une ambulance.

— Personne ne peut éteindre les flammes de l'enfer… elles sont éternelles, c'est la volonté de Dieu, Dââânielll… Dââânielll… Dââânielll… répétait ma mère en prenant une voix d'outre-tombe.

Soudain, la scène s'était figée. Bouchard s'était tu, retenant difficilement sanglots et cris. Il s'était tourné vers nous. Il semblait chercher dans sa mémoire le souvenir de nos visages. Puis il avait pris une grande respiration et traversé le salon au pas de course. Nous l'avions regardé s'élancer par la fenêtre avec la grâce d'une ballerine et la fougue d'un athlète olympique. Par le trou qui laissait maintenant passer le vent, nous l'avions vu, couché sur le sol, enroulé sur lui-même. On aurait dit un escargot dans sa coquille. La chute ne l'avait qu'assommé. Ma mère lui a demandé « Ça va ? » Romain a questionné ma mère : « Tu crois qu'il est mort ? » Et moi, j'ai crié très fort, la tête encadrée par le verre coupant : « Tiens-toi droit ! »

La valeur symbolique de nos prénoms a contribué à cristalliser nos rôles dans la famille. Marie veillait religieusement sur nous. Romain se débattait au champ de bataille. Daniel tentait d'échapper au jugement de Dieu. Et moi, j'attendais l'intervention d'un sauveur.

Le cadran indique une heure trente du matin. Cela fait maintenant trois heures que je cherche le sommeil. Habituellement, une tartine de confiture aux fraises et un verre de lait viennent à bout de mes insomnies. Pas ce soir. La maison est calme, à part quelques craquements ici et là. La nuit a imposé son rythme.

Je ne me souviens pas d'avoir jamais vu Bouchard couché. Parfois je devinais sa silhouette étendue sur son lit, le temps que la porte de sa chambre s'ouvre et se referme. Seule ma mère avait le droit d'entrer dans cette pièce. Je n'avais pas conscience à cette époque qu'elle y passait toutes ses nuits pour en sortir vivante au petit matin. Ainsi, lorsque je la voyais disparaître dans ce trou noir, mon corps se glaçait.

Je savais, pour l'avoir vu dans des films, que des gens s'aventuraient au fond de grottes sans jamais réapparaître. Leurs ossements étaient retrouvés par d'autres personnes qui, à leur tour, s'étaient perdues et dont les ossements seraient retrouvés plus tard par d'autres qui... Angoissée, je veillais sur elle. L'oreille collée à la porte, je tentais de suivre ses pas et d'évaluer la distance qui me séparait d'elle. Je la retenais par un fil imaginaire, prête à rembobiner comme un pêcheur remonte sa ligne.

D'habitude, aucun bruit n'émanait de la chambre, sauf celui d'une souffleuse à neige. Bouchard ronflait. Pour l'avoir souvent vu affalé sur le fauteuil du salon, je pouvais facilement imaginer la scène derrière la porte. Couché sur le dos, la bouche grande ouverte, Bouchard allait puiser de l'air au plus profond de son ventre de femme enceinte pour le recracher par sa gorge. L'air sauvagement dégagé de ses poumons faisait frémir la peau flasque de ses joues qui se mettaient à vibrer telles les voiles d'un navire par grand vent.

Parfois, l'air se coinçait quelque part dans ses tuyaux et durant quelques secondes qui m'apparaissaient des heures, il ne respirait plus. Je le croyais mort. Puis il expirait bruyamment en s'étouffant et en crachotant des filets de bave qu'il essuyait du revers de la main sans même se réveiller. Il allait vivre.

Aujourd'hui, Bouchard est couché sur une tablette en acier inoxydable. La mécanique infernale de ce ventre qui se gonfle et se rétracte s'est enfin arrêtée. Le bruit de sa respiration s'est tu. L'image d'une fillette s'approchant d'une bête mortellement meurtrie me vient à l'esprit. C'est seulement dans les contes que les enfants trouvent le courage de s'approcher des monstres, même lorsqu'ils sont morts.

La nuit a finalement été bonne, même si je me suis endormie tard. Je ne me souviens pas d'avoir rêvé. L'air de ma chambre refroidit mes draps. Je m'amuse à me retourner pour profiter de chaque centimètre de fraîcheur. Ma position préférée est le centre-centre. Je dors au milieu du lit, la tête calée dans le creux formé par la jonction de mes oreillers. Comme ma boutique, mon corps ne repose sur rien, ou plutôt sur une ligne imaginaire qui divise le monde en deux. L'est et l'ouest, le bien et le mal, le vrai et le faux, le caché et le révélé. C'est peut-être pour ça que je fais autant de mauvais rêves, mes pensées tombent dans la crevasse.

Ma mère dormait essentiellement à droite de son lit. Lorsqu'elle en ressortait, le matin venu, elle replaçait avec soin les plis des draps qu'elle avait à peine déplacés. Elle s'est toujours faite toute petite, peut-être à cause de sa frêle stature, peut-être aussi à cause d'autre chose.

C'est d'ailleurs assise à l'écart sur un banc de parc, alors qu'elle mangeait seule son sandwich à l'heure du lunch, que ma mère a rencontré Bouchard un jour de printemps. Il lui a dit qu'elle était belle et c'était vrai. Tout ce qu'il lui a dit par la suite était faux. Lorsqu'il l'a invitée à passer un week-end à New York, elle a fait sa valise sans hésiter. Lorsqu'il s'est étendu sur elle dans la petite chambre qui puait la cigarette, elle regardait dehors. Ce qu'elle voyait en dedans ne lui plaisait pas. Ce n'est pas parce que son père lui a dit qu'elle ne méritait plus de porter le nom virginal de Marie qu'elle s'est mariée avec Bouchard, c'est parce qu'elle croyait que tout le monde voyait ce qu'elle avait fait à New York.

Je me suis étirée, comme je le fais tous les matins, pour le plaisir de sentir mes muscles se tendre. Les bras au-dessus de la tête et les orteils contre le pied du lit. D'un seul coup son souvenir m'est revenu. Bouchard sur une plaque de métal. Froid. Rigide. Sans défense. J'ai voulu prendre ma robe de chambre mais Éos était couchée dessus. J'ai ramassé cette boule, chaude et moelleuse comme un beignet à peine sorti du four, et l'ai déposée plus loin. Éos m'a regardée d'un air à me demander des comptes. Je ne sais pas ce qui m'a pris, je lui ai tiré la langue. Elle s'est levée et m'a suivie dans la cuisine. Elle n'est pas rancunière. Avant même de me préparer un café, j'ai téléphoné à Léa. Elle accepte de me remplacer à la boutique.

Pierre est arrivé à huit heures précises. Il se réjouit d'apprendre que la maison a commencé à réagir. Il dit que le malade est en voie de guérison. Une autre fissure est apparue pendant la nuit. Dans le salon cette fois-ci. C'est Pierre qui l'a remarquée. Il a étendu la main pour lisser la brèche comme on caresse délicatement une blessure. Il m'a demandé s'il pouvait aller voir dans ma chambre. Ma couette était pêle-mêle. Les oreillers avaient gardé la trace de ma tête. Une odeur corporelle se dégageait du lit. La mienne. Pierre s'est campé dans une attitude professionnelle, mais je sentais bien que la vue de mon désordre intime le troublait. Il a regardé les fissures de haut en bas, a passé sa main dessus comme il l'avait fait dans le salon. Et il est ressorti sans rien dire. Moi non plus, je n'avais rien à ajouter.

Lorsqu'on est revenus dans la cuisine, ses collègues avaient filé à la cave. Ils ont compris depuis longtemps qu'il se passe quelque chose entre nous. Ils se font discrets. Comme toujours, Pierre est resté avec moi le temps d'un café. Il s'est dit surpris de me voir aussi en retard sur mon horaire.

– Je ne travaille pas aujourd'hui. Je dois m'occuper de l'enterrement.

Éos tourne autour de Pierre. La queue bien haute, elle se frotte sur le bas de son pantalon. Elle passe entre ses jambes, passe et repasse encore. Pierre la ramasse par le ventre et l'attire vers lui. Ses pattes pendent comme des grosses nouilles molles. Elle se laisse faire. Les yeux à moitié fermés, elle ronronne. Pierre lui gratte le dessous du cou. Elle ronronne de plus belle. Les oreilles droites et les moustaches relâchées, elle savoure ce petit bonheur matinal. Il me semble détecter un peu d'ironie dans son regard. Elle doit se venger pour la grimace.

Je sors une boîte de thon de l'armoire. Un produit fin importé d'Italie que j'ai acheté pour me faire une salade. Dès que la lame de l'ouvre-boîte perce le métal, Éos se dégage brutalement de l'étreinte de Pierre. Elle se tient maintenant en équilibre sur ma jambe et miaule comme une chatte repentante. Si elle pensait une seule seconde qu'elle avait le contrôle de la situation, elle se trompait.

– Ton père a quel âge ?

Ça ne m'intéresse pas vraiment de connaître l'âge de son père, mais c'est la première question qui m'est venue à l'esprit lorsque j'ai vu Pierre déposer sa tasse de café sur le comptoir. Je n'étais pas encore prête à le laisser descendre.

– Il va avoir soixante-seize ans cet été.

– Tu es un bébé de dernière minute.

– Ils m'ont adopté quand ils avaient mon âge, à trente-sept ans.

J'ignore ce qu'on doit dire lorsqu'une personne vous annonce qu'elle a été adoptée. On offre ses sympathies lors d'un décès. On félicite les nouveaux mariés. On souhaite un prompt rétablissement aux malades. Que dit-on aux enfants adoptés ? J'interroge ma mémoire et je ne trouve aucune phrase de circonstance.

– Tu veux un scone ? je lui demande maladroitement.

– Ma mère avait un problème de drogue. Elle avait déjà trois enfants, tous placés en famille d'accueil. Mon père a appris qu'elle voulait donner en adoption l'enfant qu'elle portait. Ça n'a pas été plus compliqué que ça.

– Tu lui en veux ?

– Plus maintenant. Longtemps j'ai été hanté par son geste. Elle m'a porté pendant neuf mois. Elle m'a vu naître. Un jour le médecin m'a déposé sur son ventre. Elle m'a pris dans ses bras pour me donner à des étrangers. Pour ce geste, je lui en ai voulu longtemps. Je me suis toujours demandé comment elle avait pu faire. J'ai trouvé la réponse le jour où mon fils est né. Du moment où je l'ai tenu dans mes mains, j'ai eu envie de le protéger. Et c'est probablement ce que ma mère a voulu faire, me protéger. Et pour ça, elle devait se séparer de moi. Lorsque j'ai commencé à comprendre, j'ai commencé à lui pardonner, un peu.

– …

– Je croyais que tu voulais pas t'occuper de l'enterrement de ton père.

Éos est de retour. Il est difficile de ne pas la remarquer. Elle traverse la cuisine de sa démarche de divine princesse en laissant dans son sillage une forte odeur de poisson récemment avalé. Elle va s'étendre dans un rayon de soleil. Elle commence sa toilette. C'est son activité principale, après dormir. Nous la regardons sans rien dire jusqu'au moment où elle s'enfonce le nez dans ses parties intimes. C'est le signal pour passer à un autre tableau.

– Moi aussi je le croyais, ai-je répondu en levant la tête.

Évidemment que ma naissance était un accident. Jamais Bouchard n'aurait pris le risque d'avoir un autre enfant avec un bec-de-lièvre. Même s'il était possible de détecter la malformation à l'échographie, il savait très bien qu'une fois enceinte, ma mère n'aurait jamais accepté de se faire avorter. Bouchard a disparu le jour où il a appris que j'étais en route. C'est le frère de ma mère qui a pris soin d'elle et de Romain, puis de moi aussi.

Bouchard est réapparu quelques semaines après ma naissance, non sans avoir d'abord vérifié que je n'étais pas *une autre face laide*. Une fois rassuré, il m'a ignorée. Il n'a jamais manifesté aucun intérêt pour moi, sauf pour me rendre complice de ses méchancetés. Il ne m'avait pas reconnue embryon et ne voulait pas davantage de moi en chair et en os. En d'autres mots, il ne m'a pas adoptée.

À la maison, les choses se passaient toujours de la même manière. Bouchard harcelait Romain, ma mère le défendait et Bouchard en profitait pour corriger la trajectoire de son canon et tirer à bout portant sur elle. Je les regardais s'entre-choquer, impuissante. J'aurais aimé qu'il s'attaque aussi à moi. J'aurais eu le sentiment de faire partie de la famille. Mais j'étais confinée au rôle de spectatrice. Condamnée à les regarder vivre de loin comme à travers la lentille d'une caméra.

J'ignore pourquoi Bouchard m'a épargnée. C'est un thème que j'aborde de manière récurrente avec ma psychologue. Elle a déjà avancé une explication. Elle croit que je suis la bonne partie de Bouchard. Elle a fait référence à Austin Powers qui tue de la main gauche et caresse son chat de la droite. Elle dit que personne n'est entièrement mauvais. Je comprends que je suis peut-être la partie saine de la pomme pourrie. J'ignore si c'est une bonne nouvelle.

Je tape *maisons funéraires* sur Google. Aucune entreprise dont le nom m'est familier n'apparaît dans les liens offerts. Je recommence en inscrivant *arrangements funéraires*. La majorité des liens renvoient vers des services de préarrangements. Je tente ma chance avec le mot *morts* au pluriel. On mentionne trois morts récentes dans un éboulement en Chine. Ensuite vient un lien sur Wikipédia que je sélectionne par curiosité. « La mort est l'état définitif d'un organisme biologique qui cesse de vivre [...]. Elle se caractérise par un arrêt irréversible des fonctions vitales [...]. Il existe une multitude de définitions de la mort et la limite entre la vie et la mort reste floue. [...] Tous les êtres vivants finissent irrémédiablement par mourir à cause du phénomène de sénescence. » J'en conclus ce que je sais déjà : la mort est un état de choses définitif.

C'est mon frère qui a fait les arrangements lorsque ma mère est décédée. Nous étions atomisés. L'un de nous deux devait se ressaisir. Ce fut lui. Je ne me souviens pas du nom de l'entreprise funéraire. Je ne garde d'ailleurs qu'un vague souvenir de toute cette période. J'ai souhaité que ce ne fût pas Magnus Poirier lorsque le nom m'est venu spontanément en tête. *Contactez-nous.* Un encadré à droite de l'écran affichait un numéro de téléphone.

Comme tout bon restaurant, Magnus Poirier offre un menu à la carte. Comme tout grand restaurant, la facture est salée. Mourir coûte cher. Il me faudra vivre encore longtemps pour me payer le luxe de funérailles. Si on se laisse prendre par les sentiments, la matérialisation de la souffrance peut être financièrement exigeante.

Inhumation ou crémation. Cérémonie religieuse ou laïque. Cercueil de bois ou de métal. Monument ou urne. Services de traiteur, fleuriste, musiciens, impression de cartes. La personne à l'autre bout du fil me propose des options que je tente d'attraper à la volée comme un jongleur ses balles. Est-ce que j'aimerais personnaliser la cérémonie ? Produire un diaporama ? Planifier l'installation d'objets personnels ?

– J'ai un budget limité.

J'ai l'impression de répondre à un tir soutenu de mitraillette par une seule balle, tirée avec un fusil jouet. Heureusement, le projectile a atteint sa cible. J'apprends que je peux profiter d'une somme de 2 500 $ de la Régie des rentes ou de la Solidarité sociale selon la précarité financière de Bouchard. Comme par hasard, Magnus offre un kit de départ sommaire correspondant exactement à ce montant.

Je communique avec Jacinthe Martin pour l'aviser que j'ai changé d'idée. Elle semble contente. Je ne sais pas si elle touche une prime pour les corps dont elle réussit à débarrasser le gouvernement ou si elle a compris quelque chose qui m'échappe. Toujours est-il que j'ai rendez-vous avec elle à onze heures pour signer d'autres papiers.

L'enveloppe blanche contenait un portefeuille avec trente-cinq dollars. Un abonnement dans un gymnase. Un permis de conduire. Une carte d'assurance-maladie. Il y avait aussi des lunettes, un jonc en or serti d'une pierre bleue et un trousseau de clés.

– J'aimerais voir la photo, je dis.

Jacinthe Martin me tend l'image d'un vieillard au visage bouffi.

– Ce n'est pas lui.

– Il était mort depuis plusieurs jours lorsqu'on l'a retrouvé… il faisait très chaud cette semaine-là…

J'ai fait un mouvement de la main comme pour chasser une mouche qui se serait figée devant mes yeux. Elle a compris que j'en avais assez vu et entendu.

Il y avait trois clés au trousseau. La première était la bonne. J'ai ouvert la porte doucement comme un voleur. C'est l'odeur qui m'a frappée en premier. L'appartement sentait la poubelle. Les policiers avaient sorti le mort, pas les déchets. J'ai finalement trouvé l'interrupteur. L'ampoule au plafond éclairait un couloir gris souris qui se terminait en cul-de-sac. À bâbord il y avait une toilette, plus loin une cuisine. À tribord, un salon exigu suivi d'une chambrette. Bouchard vivait dans un espace pour Lilliputien.

Je dois récupérer des documents. L'agente du ministère m'a dressé la liste complète des pièces à produire pour avoir droit à la Solidarité sociale. Attestation de décès, carte d'assurance sociale, facture détaillée du salon funéraire, dernier relevé bancaire, formulaire de désistement de la Régie des rentes du Québec. Je dois également m'assurer qu'il n'a pas fait de préarrangements, qu'il n'a pas laissé de testament et qu'il ne possède pas d'assurance-vie.

J'ai failli mettre fin à la conversation, écrasée sous le poids de la paperasserie. C'était avant de calculer que le prix des funérailles équivalait à la vente d'au moins onze lampes. À un peu moins d'un mois de loyer pour la boutique ou un peu plus de deux mois d'hypothèque pour la maison. À près de vingt paires de souliers de course. À pratiquement dix mois d'épicerie et cinq mille conserves de nourriture pour chat. En y réfléchissant bien, je crois pouvoir tout régler dans la même journée, l'équivalent d'un revenu de 300 $ l'heure. Somme toute, j'avais intérêt à l'écouter.

Ma mère entassait son courrier sur la lessiveuse. Mon frère le range sur sa table de travail près de l'ordinateur. Florence le place dans le tiroir du bureau, dans le corridor de l'entrée. Moi, j'ai l'habitude de laisser traîner mon courrier sur le comptoir de la cuisine. Il n'y a ni lessiveuse, ni table de travail, ni bureau dans l'appartement de Bouchard. Je me dirige vers la cuisine. Une pile de papiers trône sur la table. Je trouve une première information. La Banque Nationale du Canada était son institution financière.

Il y a quelqu'un derrière moi. C'est l'homme de l'autre nuit, celui qui a tenté de m'étrangler. Mon sphincter se relâche. La peur me fait toujours le même effet. Je cherche à évacuer. Je pense aussitôt à la mort. Je vais mourir dans la maison du mort. Le coude est la partie la plus forte du corps. Frapper avec le coude. Je me retourne, prête à réagir. L'homme se tient dans le cadre de la porte. Court sur pattes, d'une maigreur cadavérique, il porte un drôle de chapeau. Non, une perruque. Je crie. Il crie plus fort encore. Effrayée, je fais un bond par-derrière. Il recule à son tour. Nous nous considérons avec méfiance.

– Vous m'avez fait peur… la porte était ouverte… je suis entré. On s'est déjà rencontrés, je crois. Vous êtes la petite amie de Daniel ?

– On ne s'est jamais rencontrés. Je suis sa fille.

Dans la confusion, la perruque du concierge a glissé sur son front. Il a surpris mon regard mi-amusé, mi-gêné.

– Je savais pas qu'il avait des enfants, il a fait en replaçant discrètement sa chevelure. C'est moi qui l'ai trouvé. Il était étendu dans le corridor. Mourir si jeune…

– …

– C'était un bon gars votre père…

– …

– Il va falloir vider l'appartement, dit-il en retournant sur ses pas. C'est toi qui vas faire le chèque pour le mois de mai?

Je déteste qu'on me tutoie ainsi.

– Madame Dubois t'attendait ce matin, m'annonce Léa au téléphone. Elle venait chercher son abat-jour. T'as oublié de le lui remettre hier, c'est ce qu'elle a dit. Elle était de méchante humeur. Elle a trouvé des traces de colle sur la passementerie. Il y avait effectivement une ou deux gouttes. J'ai gratté et tout a disparu. Elle a laissé son abat-jour ici. Elle a dit qu'elle viendra le récupérer quand tu auras fini ton travail. Elle voulait aussi savoir s'il restait des biscuits.

Je suis contente d'apprendre que madame Dubois a repris du mieux. Outre quelques rares situations moins heureuses, les journées à la boutique sont généralement très agréables. J'estime que les passants qui entrent spontanément *Chez Viviane, Lampiste* représentent cinquante pour cent de mes revenus. Une lampe dans la vitrine a attiré leur attention. Ils vont directement vers elle puis font le tour de la boutique. Inévitablement, ils reviennent vers la lampe qui les a choisis. Car ce sont les lampes qui interpellent les clients et non l'inverse. Ils la regardent de plus près. Se penchent vers elle comme on s'incline devant une fleur pour la respirer. Ils l'allument. L'éteignent. S'informent du prix et ressortent en me remerciant. Souvent, ces gens reviennent deux ou trois jours plus tard pour conclure la transaction. C'est le comportement typique de l'acheteur moyen.

Il y a aussi les acheteurs compulsifs. Ceux-là font des dé-penses folles en un temps record. Ils réapparaissent après quelques jours, lorsque le sentiment de culpabilité a pris le dessus sur l'enthousiasme. Ce n'est pas dans la politique de la maison de rembourser, mais je le fais toujours de bon cœur parce que chaque lampe fait partie de moi. Où qu'elles soient, je veux qu'elles rayonnent.

L'autre moitié de mes revenus provient des conseillers en décoration, des conseillères, devrais-je dire, car ce sont presque toutes des femmes. Certaines travaillent pour de grandes entreprises, d'autres pour des privés. À elles seules, elles représentent trente pour cent de mon chiffre d'affaires. Les vingt pour cent restants sont générés par des clients ré-guliers qui passent des commandes spéciales ou me deman-dent de créer des abat-jour sur mesure. Madame Dubois fait partie d'une classe à part, d'une équation qui relève du geste humanitaire. Je rassure Léa, elle a fait ce qu'il fallait.

– Appelle-moi s'il y a des urgences, lui dis-je. Autrement, on se voit demain.

J'ai confirmé les arrangements funéraires avec Magnus Poirier en mentionnant que la Solidarité sociale allait payer. J'ai déposé une requête à la Solidarité sociale en précisant que la Régie des rentes du Québec refusait de payer. J'ai soumis une autre demande à la Régie des rentes en espérant qu'elle refusera de payer et renverra la balle à la Solidarité so-ciale qui, finalement, sera obligée d'honorer ses promesses.

Il est presque dix-sept heures lorsque je termine mon circuit des institutions gouvernementales. Heureusement pour moi, le décès de Bouchard me laisse de glace. Autrement, j'aurais lâché prise dès le premier appel. En fait, si j'avais su au départ qu'assurer une sépulture digne à Bouchard allait exiger de moi que je m'humilie, je l'aurais laissé traverser le pont tout seul. La honte.

Bouchard sort de sa chambre. Il est nu. Ses pieds font craquer le plancher. Un pet sonore jaillit de son fessier. Il entre dans la salle de bain. Une tresse de flatulences bien grasses se fait entendre. L'odeur de merde nous rejoint, mon amie et moi. Tant bien que mal, nous achevons notre sandwich aux tomates. Bouchard arrive dans la cuisine. On dirait un maître de piste faisant son entrée sur scène. Un paquet de chair molle lui pend entre les deux jambes. Mon amie et moi nous concentrons sur la croûte de nos tranches de pain. Bouchard ouvre la porte du réfrigérateur. On entend le verre des bouteilles de bière s'entrechoquer. Ma mère lui lance : « Franchement, t'aurais pu t'habiller. » Il fait entendre un rot bien sonore. « C'est peut-être la seule belle queue qu'elles verront de toute leur vie », qu'il répond en faisant valser son pénis sur ses cuisses.

Mon amie boit son jus et même quand son verre est vide, elle le garde collé à ses joues en ne lâchant pas le fond des yeux. Ni elle ni moi ne voulons voir sa chose. Je sais que plus tard, elle ira raconter à ses parents que mon père se promenait nu dans la maison. Ils déduiront de ses ricanements qu'elle a vu son truc. Ils lui diront que je ne suis pas une mauvaise fille mais qu'ils préféreraient qu'elle ne vienne plus jouer chez moi. Ainsi, elle ira jouer chez les autres filles de la classe. Parmi elles, des amies qui sont déjà venues manger chez nous. Elles parleront de mon père, de son engin. Elles riront dans la cour d'école en me regardant passer. La honte.

Ma montre indique dix-huit heures dix-huit. Un beau chiffre. J'aurais aimé que Pierre m'aide à vider l'appartement. Il me l'a offert d'ailleurs. J'ai refusé. C'est la lettre de Gabriel qui a mêlé les cartes. Je l'ai reçue il y a treize jours. Je lui manque. Il souhaite me revoir, reprendre la vie avec moi. J'ai lu sa note une première fois. Rapidement. Pressée de savoir ce qui me valait cette attention aussi soudaine qu'inattendue. Puis plus lentement, en m'attardant aux mots qu'il avait choisis pour me reconquérir. Et enfin une dernière fois en tentant de décortiquer le sens de sa démarche. J'ai répété l'exercice avec Florence au téléphone. Je me suis gardée d'en parler à mon frère. Je connais son opinion au sujet de Gabriel.

Je ne sais trop quoi penser. Je comprends qu'il propose d'effacer l'ardoise et de recommencer. Je ne suis pas certaine qu'il est sincère, qu'il réalise tout ce qui est inscrit sur ce tableau. En plus, je trouve qu'il a la rédemption facile. Ce qui m'agace, c'est qu'en aucun endroit parmi les soixante-treize mots qui composent sa lettre, il ne s'excuse. Il ne l'a jamais fait. Il ne le fera jamais.

Florence a pour sa part une opinion franche sur le sujet. Elle qui a l'habitude de tout comprendre, ne comprend pas cette fois. Lorsqu'il s'agit de Gabriel, son empathie légendaire se métamorphose en soupçons. Je m'étends sur mon lit et ferme les yeux. Je m'imagine tendrement enlacée à son corps, ma bouche contre la sienne, sa main sur mon ventre. La bobine se détraque, le film s'arrête. La réponse à sa lettre doit être dans cette image qui se casse, cette pellicule qui brûle et se tord en fondant. Dans cette histoire qui se morcelle.

C'est par courriel que j'ai appris la fin de nos six ans de vie commune. Quelques mots qui ne valaient pas la peine d'être prononcés à voix haute. « Tu ne m'aimes plus, écrivait-il. Je pars. C'est mieux pour toi. » J'aurais voulu lui répondre. Mais que dire à un homme qui vous accuse de ne plus l'aimer ? J'étais responsable de mon propre abandon. J'ai refermé le couvercle de mon ordinateur et suis allée courir. Quand je suis revenue à ma chambre, j'ai vomi mais rien ne sortait, mon corps expulsait le vide. Les secousses se sont espacées avant de s'arrêter complètement. Je me suis brossé les dents et rincé la bouche, puis j'ai été sous la douche.

Je suis restée là, plantée sous l'eau froide à essayer de ne pas pleurer. Je m'étais promis de ne pas le faire. Lorsque j'ai finalement fermé le robinet, je n'avais plus qu'une seule pensée, me réchauffer. Je suis allée me cacher sous les couvertures. Le confort des draps amidonnés et la lourdeur de la douillette ont eu un effet apaisant sur ma douleur. J'ai mis un bouchon dans chaque oreille en espérant trouver le sommeil bien vite.

— J'ai une maladie vénérienne.

Gabriel était resté de glace en entendant ce diagnostic qui s'apparentait davantage à une accusation. Je revenais de chez le médecin. Toujours le même. Je croyais avoir une infection urinaire.

— C'est la chlamydia. Tu es toujours avec Gabriel ? avait-il demandé comme pour confirmer son diagnostic.

J'étais rentrée directement à la maison. J'avais honte. Gabriel était assis à la table de la cuisine. Il lisait le journal.

— Tu dois avoir attrapé ça au spa, il avait dit d'un ton insouciant avant de tourner la page d'un doigt fraîchement humecté. Il n'avait même pas levé les yeux sur moi. Cette nouvelle ne méritait pas son attention.

Après, nous avions fait chambre à part jusqu'à mon départ pour l'Italie et maintenant, il y avait ce message dans mon ordinateur. Gabriel profitait de mon absence pour me faire disparaître définitivement de sa vie. Le lendemain matin j'ai emballé avec soin les lampes en verre de Murano pour lesquelles j'avais fait le voyage. Je n'ai même pas voulu qu'on vienne les prendre à ma chambre. Je suis descendue chercher un porte-bagages et j'y ai empilé avec soin mes trésors. J'ai poussé ma délicate cargaison jusqu'à l'entrée en surveillant chaque inégalité du plancher.

– *L'aeroporto per favore*, ai-je demandé.

Le chauffeur de taxi a pris une première boîte et l'a lancée au fond du coffre. Il en a choisi une seconde à laquelle il réservait de toute évidence le même sort.

– *Delicato, per favore, delicato*, je criais en gesticulant autour du porte-bagages.

Il m'a gratifié d'un large sourire qui en disait long sur ce qu'il pensait de moi et de mes boîtes fragiles. J'ai alors dressé ma main droite, la paume largement ouverte devant son visage, comme le fait madame Dubois avec les automobilistes. Il a replacé plus ou moins délicatement la boîte avec les autres avant de s'engouffrer dans la voiture en faisant claquer la portière. Il a fait un doigt d'honneur au chauffeur derrière lui en démarrant.

– *Figlio di puttana*, qu'il a dit en appuyant à fond sur l'accélérateur.

L'autre lui avait volé sa place plus tôt ce matin. Il était parti se chercher un café. Une cliente s'est présentée. Son collègue a joué à saute-mouton. C'est ce que j'ai compris de son drame raconté dans une langue dont je connaissais à peine quelques mots. Par compassion simulée, je dodelinais de la tête comme les chiens jouets sur la plage arrière des voitures. Il avait fini par se taire.

Le paysage qui défilait à vive allure m'aidait à me concentrer sur les images fixes qui se succédaient dans ma tête. La maison vide. L'absence. La solitude. J'avais regardé ma montre. Il était dix-sept heures à Montréal. Gabriel devait s'apprêter à prendre son apéritif. Je l'imaginais souriant, envisageant avec bonheur sa nouvelle condition de célibataire.

L'aéroport est apparu subitement. Nous y étions. Cette bâtisse me terrifiait. Derrière elle se cachaient des avions. Parmi eux, le mien. Celui qui me ramènerait chez moi, puisque de chez-nous, il n'y en avait plus. Je n'ai pas donné de pourboire au chauffeur. Il n'était pas le seul à avoir perdu sa place, je me suis dit. Moi, je n'agresse personne. J'ai poussé mon chariot lourdement chargé vers la porte d'entrée, ignorant ses récriminations qui avaient les mêmes notes aiguës que plus tôt.

Coincée au fond d'une rangée, j'ai fixé le ciel dans l'ovale d'un hublot en reculant dans le temps. Neuf longues heures à me souvenir des fois où Gabriel m'avait menti. De celles où il m'avait déçue. Des méchancetés qu'il avait proférées. Des occasions où il avait volontairement ignoré le fait qu'il me blessait. Des nuits où il n'était pas rentré. Quand l'avion s'est finalement posé, j'étais revenue dans le moment présent. J'étais en colère. Je m'en voulais d'être restée assez longtemps avec lui pour qu'il se décide finalement à partir.

J'entendais Iris miauler derrière la porte pendant que je cherchais mon trousseau de clés. J'espérais que Gabriel avait eu la décence de lui laisser de la nourriture. Gabriel détestait les chats. Il les disait paresseux et stupides. Il avait accepté que je garde Iris simplement parce qu'il le croyait sur le point de trépasser. Mais Iris se cramponnait. Son antipathie notoire pour Gabriel l'aidait à rester en vie. Il était hors de question qu'il lui cède la place.

Iris et moi, on s'est littéralement bondi dessus. Dans mes bras, il ronronnait à s'en défoncer la gorge. Il devait avoir eu peur que je ne revienne pas. Je lui ai servi un festin à la truite au cas où il aurait faim. Il avait faim. J'ai fait le tour de l'appartement pendant qu'il se plongeait le museau dans sa purée.

Gabriel avait emporté la moitié de tout. Les murs avaient été dénudés de leurs images. Les planchers vidés de plusieurs meubles. Les étagères dégarnies de nos souvenirs. Il avait laissé une note pour dire qu'il passerait chercher le lit plus tard. Rien d'autre. Il avait signé en ajoutant son nom de famille comme pour me signaler qu'il n'y avait plus rien de personnel entre nous.

Dans cet espace pillé par la fin de l'amour, la lumière, la mienne, prenait toute sa place. Mes lampes n'avaient jamais été aussi belles, aussi habilement mises en valeur. Elles avaient repris le contrôle de l'espace habitable et semblaient s'en enorgueillir. La liberté leur allait bien.

Je me suis installée sur le futon avec un plat de crevettes que j'ai partagé avec Iris. Les écouteurs dans les oreilles, mon iPod à la main, j'ai écouté Chet Baker, Ray Charles, Eric Clapton, Ella Fitzgerald, Aretha Franklin, Keith Jarrett, Israel Kamakawiwo, Johnny Mathis, Norah Jones, Frank Sinatra, Barbra Streisand et Sarah Vaughan chanter *Over the Rainbow* à la queue leu leu sans discontinuer.

Douze voix, la même histoire, douze émotions distinctes. « *Somewhere over the rainbow, skies are blue and the dreams that you dare to dream really do come true* », qu'ils répétaient tous comme pour me persuader de quelque chose. Lorsque j'ai finalement éteint mon iPod, j'avais mal au cœur, Iris ronronnait et je n'avais toujours pas pleuré.

Le lendemain quand je suis allée au marché Jean-Talon, j'ai constaté que la rupture serait plus compliquée qu'il n'y paraissait de prime abord. Nous devions non seulement nous répartir les meubles, mais aussi la ville. Je me suis empressée de passer d'un commerce à l'autre avant de rentrer chez moi. J'étais terrorisée à l'idée de croiser Gabriel. Je n'aurais pu supporter de le voir deviner dans mon regard l'ampleur de ma peine ni de détecter dans le sien la complaisance du vainqueur.

Je lui ai envoyé une proposition. Je gardais le marché Jean-Talon et lui laissais le marché Atwater. Il continuerait à acheter son vin à la succursale de la rue Beaubien, je me limiterais à celle du quartier. Il me promettait de ne pas venir choisir ses livres au Renaud-Bray de la rue Saint-Denis, contre quoi je lui offrais d'écouter sa musique en paix chez Archambault sur la rue Sainte-Catherine. Je m'engageais à ne pas fréquenter la piste cyclable du canal Lachine et il ne viendrait plus se promener au parc La Fontaine. Je lui donnais accès à tous les cinémas de Montréal en échange de quoi, il me laissait le Beaubien. Je lui ai proposé un an de ville partagée.

Il avait accepté ma proposition sauf en ce qui concernait le marché Jean-Talon. Il était hors de question de me laisser régner sur ce territoire. Je lui ai fait une contre-offre. La fréquentation du marché se ferait à mes risques et périls les jours de semaine. Le samedi lui serait réservé. Je conservais les dimanches. Il a répondu oui, simplement oui. Comme Gabriel n'a pas l'habitude de respecter ses promesses, j'ai toujours considéré ce territoire comme un terrain miné. C'est le seul échange que nous avons eu après son départ. Depuis, c'est le silence.

Iris est mort quatre mois plus tard. Plus je prenais des forces, plus il s'affaiblissait. Un matin où il n'a plus trouvé l'énergie nécessaire pour sortir du lit, je l'ai pris dans mes bras et, en le caressant longuement, je lui ai dit que je comprendrais s'il partait. En fait, j'ai été plus directe que ça, je lui ai dit qu'il pouvait partir. Lorsque je suis rentrée ce soir-là, Iris était étendu sur le plancher de la cuisine. Je me suis dit qu'il avait profité du soleil pour se réchauffer une dernière fois. Je l'ai couché sur le satin bleu d'une boîte qui avait jadis servi à transporter un abat-jour de verre. À la tombée de la nuit, je me suis rendue sur le mont Royal et j'ai creusé un trou. Iris reposerait dans un cimetière improvisé non loin de la tombe de ma mère. Il méritait lui aussi des arbres matures et des nuits étoilées. J'ai refermé le trou et j'ai déraciné quelques fougères que j'ai replantées sur la terre dégarnie. Je suis descendue au belvédère pour voir le paysage que je lui laissais en héritage. Les lumières de la ville se sont embuées jusqu'à ce que je n'y voie plus rien, et je n'ai rien fait pour empêcher cela.

Ce jour-là, j'ai fait le serment de ne plus jamais adresser la parole à Gabriel. Ce n'était pas tant à cause d'Iris, car malgré toute l'affection que je lui portais, j'étais consciente qu'il s'agissait d'un animal. C'était à cause du trop-plein de silence qui avait constitué la trame de notre relation. Par respect pour tout ce qui n'avait pas été dit, j'avais fait le vœu de me taire pour toujours. C'était une idée repiquée d'un film que j'avais vu quelques années plus tôt. Amèrement blessée par la trahison de son mari, une femme avait décidé de ne plus jamais lui adresser la parole. Ils avaient vécu côte à côte dans le silence le plus complet. Ce châtiment m'avait semblé équitable. Une minute de silence pour les morts. Le silence éternel pour les blessés.

Je sais que Gabriel a connu d'autres femmes depuis qu'il m'a quittée. Moi, personne. J'en suis venue à douter de ce corps qu'il regardait de haut comme une voiture dont la mécanique se serait détraquée. Régulièrement, comme une horloge bien huilée, il me proposait d'avoir des enfants. J'étais d'accord, mais mon corps s'y refusait. Avec le temps, il s'agissait autant d'un thème d'actualité que d'un sujet tabou, selon l'humeur de Gabriel.

Lorsqu'il était irrité, il utilisait des métaphores automobiles pour parler de ma difficulté à enfanter. Il faisait référence à des *problèmes mécaniques*, il disait que j'aurais eu besoin d'une *vérification générale*, que la *carrosserie était parfaite mais le moteur calé*. Il disait aussi, quand j'étais fatiguée, que je devais *recharger mes batteries, faire le plein*. Ces fois-là, il m'appelait *Bébé*. Lorsqu'il était de bonne humeur, il n'abordait jamais le thème de la paternité, comme si son désir d'avoir des enfants était essentiellement lié à sa colère.

Aujourd'hui, je sais que Gabriel n'a jamais voulu avoir d'enfant avec moi. Il avait simplement trouvé cet espace fragile où il pouvait s'insérer pour me torturer. Si j'avais été noire, il m'aurait dit préférer les blanches. Si j'avais été grande, il m'aurait dit qu'il aimait mieux les petites. Comme je ne pouvais pas avoir d'enfant, il y tenait vraiment.

Je n'ai pas encore répondu à sa lettre. Ce n'est pas l'envie qui me manque. Je pourrais réagir à chacune de ses phrases par une méchanceté. Elles sont là, rangées dans ma tête telles des balles dans le barillet d'un revolver. Je pourrais aussi lui écrire que je m'ennuie de lui. Ce qui est également vrai. Je sais que certaines victimes s'attachent à leur agresseur. Je suis restée attachée à Gabriel. À quelques souvenirs heureux. À son sourire certains matins. À son épaule qui était mon pays. Mais je ne le ferai pas. Je ne lui dirai pas qu'il me manque. Je ne lui ferai pas cadeau de mes espoirs ni de mes douleurs. Je ne partagerai pas avec lui le secret de cet amour résiduel qui me réveille la nuit et m'oblige encore à me battre contre les vagues cherchant à noyer ma vue. J'ai accepté de vivre avec cet espace vacant en moi.

La lettre de Gabriel a remué tant de souvenirs qu'aujourd'hui je me retrouve seule à faire le ménage de la vie de mon père. Entre l'un et l'autre, je n'ai pas trouvé de place pour Pierre. Des sacs verts dans une main, des sacs à recyclage dans l'autre, je jette un coup d'œil rapide dans l'appartement. Le concierge a entassé dans un coin de la cuisine les objets et les petits meubles qu'il souhaite garder. Les appareils ménagers appartiennent au propriétaire. Le reste du mobilier, comme le lit et la commode, le concierge va se charger de les faire ramasser par l'église. C'est l'entente que nous avons prise. Il garde ce qu'il veut mais me dégage de la responsabilité de sortir les meubles. Il ne reste plus qu'à trier les effets personnels de Bouchard.

J'ai commencé par les garde-robes. Tout ce qui était encore mettable, je l'ai rangé dans un sac transparent pour le donner. Le reste est allé directement dans des sacs verts. J'ai trouvé au fond de la penderie de l'entrée un vieux manteau. Il me semblait que Bouchard le portait déjà lorsque j'étais enfant. Il avait conservé ses formes. Il sentait la poussière. Malgré tout, je n'ai pu m'empêcher de me glisser dedans. Je me suis regardée dans le miroir. Les manches étaient trop longues. Elles m'ont donné l'idée de m'enlacer. Je l'ai fait. Un grand vide a rempli cette étreinte artificielle.

J'ai gardé le manteau sur moi pour faire le tour de l'appartement une fois de plus. J'ai regardé les murs, les meubles, les objets. J'ai imaginé que c'était chez moi ici. Je n'avais rien créé, j'avais tout perdu, j'avais vieilli isolée et j'étais morte seule. Je me suis sentie immensément triste. J'ai retiré le manteau qui pesait lourd sur mes épaules et je l'ai déposé près de la porte. J'allais l'emporter chez moi.

Le frigo était rempli de légumes qui naguère avaient été frais. De la laitue, des carottes, des pommes de terre, du céleri, des betteraves, un navet, des oignons. À part ça, pas grand-chose. Du lait zéro pour cent. Du lait de soya. Du pain brun, des muffins anglais. Il y avait aussi quelques bouteilles de bière. J'ai trouvé sur l'étagère du bas une boîte de nourriture pour chat à moitié entamée. J'ai regardé dans la cuisine, le salon, la salle de bain, j'ai même poussé jusque dans la chambre de Bouchard, aucune trace animalière.

Bouchard détestait les chats. Le chat devait être quelque part sous le plancher. Il devait l'avoir emmuré sous les fondations comme on le faisait au Moyen-Âge pour conjurer le mauvais sort. Sinon, il l'avait étranglé un soir de nostalgie. La date de péremption indiquait décembre 2009. J'ai mis la boîte dans le sac vert avec le reste.

J'ai appris dans la salle de bain que Bouchard avait une vie sexuelle active et qu'il souffrait de dysfonction érectile. Le Viagra et les maladies du cœur ne font pas bon ménage. Peut-être se préparait-il à sortir lorsqu'il a été terrassé par une crise cardiaque. Je laisse aux médecins le soin d'établir les faits. J'ai tout mis dans le sac, médicaments, déodorant, dentifrice, lotion après-rasage, sirop pour le rhume et tout son fatras d'apothicaire.

Même si les trois quarts de ses effets personnels ont atterri directement à la poubelle, le classement s'est avéré plus long que prévu. L'idée de départ était de tout jeter. Puis je me suis dit que si je devais comprendre quelque chose à Bouchard, ce serait ici, dans le centre nerveux de sa petite existence. Alors, j'ai pris le temps d'en disposer morceau par morceau, en passant d'une pièce à l'autre.

Il faisait presque nuit lorsque je suis arrivée dans la chambre à coucher. J'y ai pénétré à reculons. Ce n'était pas la même maison, ce n'était pas la même pièce, mais c'était toujours la grotte terrifiante de mon enfance. Je n'ai pas osé m'asseoir sur le lit et il n'y avait pas de chaise. Je me suis installée dos à la fenêtre et j'ai cherché.

Il n'était nulle part. Aucune trace de l'homme, du père, de l'agresseur. Ni dans le lit étroit, ni autour des meubles disparates, ni sur les murs vides et sales. Il avait disparu bien avant de mourir. C'est là que le souvenir des pantoufles m'est revenu.

Il me les avait offertes pour mes dix-huit ans. Des pantoufles en Phentex bleu. Il les avait glissées dans une boîte à chaussures qu'il avait placée devant la porte d'entrée de notre appartement. Seul mon prénom apparaissait sur le couvercle, *Vivianne*. Avec deux *n*. Aucune mention de l'expéditeur, pas d'adresse. J'avais soulevé le couvercle comme on ouvre un cadeau, excitée. Les pantoufles flottaient dans le fond de la boîte, maladroitement emballées dans du papier beige qui avait déjà protégé des chaussures. *Bonne fête* était écrit sur une carte à l'allure vieillotte.

Ma mère et Romain surveillaient ma réaction en terminant leur petit déjeuner. Ces pantoufles étaient un calumet de paix. J'étais majeure depuis neuf heures et Bouchard voulait que je redevienne sa fille. J'ai regardé Romain. Sa lèvre supérieure laissait paraître une légère cicatrice. Les filles disaient que ça faisait partie de son charme. Comme toujours, ma mère avait l'air fatiguée. Elle m'a souri comme elle le faisait lorsque, enfant, je sollicitais une permission. Ils étaient toute ma famille. J'ai pris les pantoufles et je les ai jetées à la poubelle. Plus tard, je suis allée courir.

La commode comptait quatre tiroirs. Les trois premiers étaient remplis de vêtements. J'ai tout glissé dans un sac transparent. Le dernier tiroir contenait des objets disparates dont des lunettes de soleil, un carnet d'adresses, des brochures promotionnelles d'exerciseurs, de l'information sur les suppléments nutritionnels, un appareil Polaroïd, un exemplaire des *Alcooliques Anonymes* en format poche, une Bible qui avait pris l'eau, le manuel d'instructions et les papiers de garantie d'un réveille-matin, ainsi qu'une chaussette égarée.

Il y avait aussi des photos. Bouchard semblait avoir la même manie que moi, créer des séries. Sauf que dans son cas, il n'avait qu'un sujet, les femmes. Des blondes, surtout des blondes. Étendues. Nues. Les jambes écartées. Debout les mains sur les hanches. Sur les seins. Entre les jambes. Derrière le dos. Rarement la même. Droites. Courbées. Penchées. J'ai déchiré les photos avant de les mettre dans le sac à recyclage. Un sein est resté collé au plastique. Un gros mamelon café au lait me regardait d'un œil malicieux. J'ai déchiqueté l'organe féminin en fragments minuscules que j'ai répartis également dans le sac.

Dans une enveloppe jaunie, j'ai trouvé des photos en noir et blanc. Des souvenirs de Bouchard. Des images de son enfance. Sur l'une d'elles, il tient une femme par la main devant des balançoires, sa mère probablement. Sur une autre, il est juché sur une bicyclette trop grande pour lui, la même femme l'aide à garder son équilibre. Elle sourit. Sur la troisième photo, il enlace un chat. Il y a un gâteau sur la table avec cinq bougies. Sur la dernière, il est assis dans les marches d'escalier devant une maison. La photo a été prise de loin. Il a un jouet dans les mains, un camion je crois. Sa mère l'enserre par les épaules. Ils ont les têtes collées l'une sur l'autre comme des frères siamois.

C'est la lucarne qui a d'abord attiré mon attention, puis l'allège sous la fenêtre et enfin le vitrail dans l'imposte au-dessus de la porte d'entrée. Le numéro d'immeuble était trop petit pour que je puisse le déchiffrer. En revenant de chez Bouchard, je me suis arrêtée à la pharmacie pour acheter une loupe. L'adresse correspondait. J'ai ensuite exploré les rues avoisinantes à la recherche d'une maison identique à la mienne qui aurait porté la même adresse civique mais qui n'aurait pas été ma demeure. Cette autre maison n'existe pas.

– J'ai acheté la maison de Bouchard.

Je n'ai pas pu m'empêcher de réveiller Romain dans sa nuit d'outremer. Il m'exhorte à me calmer. Il ne comprend rien. En plus, la ligne est mauvaise. Ses paroles lui reviennent en écho. D'abord, qu'est-ce que je faisais dans l'appartement de Bouchard? J'ai repris mon souffle et commencé par le commencement. Je sais, ça fait beaucoup d'information en même temps pour quelqu'un qui vient de se réveiller. Je lui propose de le rappeler plus tard. Il est trop tard, dit-il, il veut comprendre. Je lui expose la version courte de l'histoire. Il dit qu'il doit y avoir une explication. Il me suggère de téléphoner au notaire. Il me rappellera demain matin. Je peux m'installer chez lui en attendant. Il m'aime et m'embrasse fort. Moi aussi je l'aime et l'embrasse fort.

Je passe la demi-heure suivante à renifler dans les oreilles de Florence. Elle est tout aussi surprise que Romain. Mais sa réaction est différente. Florence a une approche zen. Elle ne croit pas au hasard. Elle dit que s'il s'agit vraiment de l'endroit où mon père a grandi, il doit y avoir une raison pour que je me retrouve là, maintenant. Elle m'invite à rester calme. Elle m'assure que toutes les maisons ont une âme. Florence veut que j'entre en contact avec celle de ma maison. Découragée, je lui souhaite de passer une bonne nuit.

Ainsi, j'ai peut-être inconsciemment choisi le lieu où mon père a grandi pour m'établir dans la vie. J'erre dans les pièces jonchées de boîtes attendant que la poussière retombe pour être déballées. Je suis à moitié installée dans une maison croche sur le point d'être redressée. Une maison qui craque et grince. Je suis revenue au point de départ. Entre les murs qui ont abrité les jeunes années de Bouchard. Assise en boule dans la chambre qui donne sur la rue, je caresse Éos. Elle ronronne. Je pleure. Demain, elle sera malade. Elle est toujours malade quand j'ai mal. J'aimerais que ma psychologue soit avec moi. J'aurais besoin d'elle pour donner un sens à tout cela. Pour me rassurer. Me dire que je ne suis pas folle et que je ne le deviendrai pas.

Je passe une partie de la nuit à cuisiner une soupe de poisson. La recette préférée d'Éos. Je lui lance ici et là des morceaux qu'elle les attrape d'un coup sec de ses dents acérées, comme s'il s'agissait de la dernière nourriture sur terre. Jomed chante *Montuno Noreno*. La chanson fait deux minutes quarante-deux. Un bon présage. Malgré tout, je suis triste. Je voudrais avoir le courage de partir. Courir comme Forrest Gump sans jamais m'arrêter. Mes Asics et moi. Uniquement nous deux. Fuir ce qui me rattrape.

Les lattes de bois des planchers se disjoignent, créant des brèches de deux à trois centimètres à certains endroits. Ailleurs, le jeu peut atteindre jusqu'à dix centimètres. Je dois réparer tout ça. Mais avant, j'ai des courses à faire.

À mon retour, je ne peux plus accéder à mon logis. L'escalier avant est impraticable. Il manque la moitié des marches. Je tente ma chance par-derrière. C'est pire. L'escalier a basculé sur le côté. De grandes sections se sont affaissées. Je pourrais grimper à un arbre et me hisser sur la partie supérieure de la structure, mais le risque de me blesser est trop grand. Il reste la solution de passer par le sous-sol. Effectivement, la cage intérieure est demeurée intacte. Je peux monter chez moi sans problème.

En haut, le plancher est pratiquement défait. Il devient de plus en plus difficile d'avancer sans tomber. Je vois dans l'appartement du dessous. Un homme me toise du regard. Je réussis à atteindre ma chambre. Je défais mes draps et y jette mes objets préférés. Je m'empresse de sortir avant que tout s'effondre. L'inconnu est toujours là. Je dévale l'escalier qui se défait sous mes pas.

Je me réveille alors que la maison explose en s'affaissant. Ce n'est pas le bruit de la pierre se fracassant au sol qui me ramène à la réalité mais Éos, elle miaule. Cet homme mort sous la maison, c'est Bouchard. Il attend quelque chose de moi.

Une autre nuit à apprivoiser l'obscurité. Les arbres si beaux le jour deviennent des géants terrifiants une fois la nuit tombée. Je devrais me recoucher. Mais les images qui prennent forme dans mon sommeil sont plus terrifiantes que celles que je m'invente éveillée. Les ombres n'ont pas de vie propre. Je le sais. Ma jumelle qui s'étend sur le mur derrière moi n'existe pas. Je pourrais changer de place et la faire disparaître. Mais on n'échappe pas à son ombre. C'est pour cela que j'aime tant travailler à éclairer des espaces. Pour maîtriser les ombres. Les miennes, surtout.

Depuis lundi, j'ai le sentiment de dormir en apnée. Je m'endors difficilement après avoir tangué de part et d'autre de mon lit. Lorsque le sommeil me rejoint enfin, j'ai l'impression de flotter au-dessus de moi-même. Puis je replonge pour quelques heures et comme un pêcheur qui remonterait ses filets des tréfonds d'un lac boueux, je refais surface la tête remplie de mauvais rêves. Ces nuits aquatiques me laissent vannée et pleine d'images dont je tâche de me délester tout au long de la journée.

Une fois de plus, je me suis réveillée épuisée ce matin. J'ai enfilé mon chapelet de routines avant de sauter dans ma voiture, ce que je fais rarement, sauf quand j'ai du matériel à transporter. Il est à peine huit heures lorsque je sonne chez le concierge. Dire qu'il a l'air surpris est un euphémisme.

Moi aussi, je suis surprise. Il est chauve ce matin. Si je n'avais pas vu dans son visage qu'il me reconnaissait, je ne l'aurais jamais replacé.

— Que voulez-vous ?

— Le chat !

J'avais visé juste. Un gros chat tigré roux s'est aussitôt pointé dans le cadre de la porte, sous la robe de chambre du bonhomme. Il a les pupilles dilatées comme des billes. Il doit faire noir comme l'encre dans cet appartement. Le concierge tente de lui barrer la route en braquant l'os cireux de sa vieille jambe. Le chat fait ni une ni deux et saute par-dessus le membre squelettique pour aller se perdre dans le corridor. Il va renifler les fleurs poussiéreuses du tapis.

– Je ne pensais pas que ça vous intéresserait.

J'ai pris le chat et je suis partie. Ce n'était pas mon intention au début. En fait, j'ignorais s'il y avait ou non un chat dans cette histoire, mais cette nuit, lorsque je flottais au-dessus de moi-même, j'ai vu passer un minou. Ce n'était pas le mien, ni celui-là d'ailleurs. C'était la chatte de mon enfance, Pantoufle. Elle était partie un soir d'hiver. Bravant le froid, j'avais crié son nom pendant des jours dans les rues glacées qui s'étendaient jusqu'à la voie ferrée au-delà de laquelle la vie semblait s'arrêter. J'avais visité tous les igloos que les enfants avaient creusés dans la neige. Sonné à toutes les portes des voisins, même les plus terrifiants. Et, ne sachant plus que faire, j'avais fait paraître une note dans le feuillet paroissial en espérant que Dieu entendrait ma prière. Pantoufle n'était jamais revenue. C'est ma mère qui m'a dit la vérité des années plus tard. Bouchard l'avait pendue.

Ma mère avait retrouvé Pantoufle suspendue comme un vulgaire quartier de bœuf aux montants de la porte de garage. Bouchard avait d'abord nié la chose avant de concéder un mince peut-être. En tout cas, c'était lui qui l'avait décrochée et mise dans un sac vert avant mon retour de l'école. Ma mère pensait qu'à vingt ans, j'étais en âge de savoir. Elle se trompait. Avec Pantoufle, le temps s'était arrêté. J'avais toujours dix ans et elle était ma seule amie. J'avais enfilé mes souliers de course et j'étais partie courir.

L'annonce de la mort sauvage et injuste de ma chatte m'avait privée du seul bon souvenir de mon enfance. Après sa disparition, je l'avais toujours imaginée couchée près d'un foyer garni de feuilles de houx, à se chauffer les poils. Car dans ma tête, c'était Noël lorsque je la retrouvais. Confortablement installée, calquant les arrondis d'un coussin moelleux et humectant ses babines asséchées par les flammes, elle était libre.

J'arrivais parfois à être heureuse pour elle mais la plupart du temps, je lui en voulais. Elle s'était enfuie et m'avait abandonnée à l'humeur terrifiante de l'ogre. Lorsqu'elle a disparu, je me suis dit que ce serait bientôt au tour de ma mère de partir. Romain et moi finirions seuls avec Bouchard. Il nous traînerait de force dans son trou noir et ce serait la fin, comme dans les films lorsque c'est écrit *Fin* sur l'écran et qu'on ne peut plus revenir en arrière, du moins dans les versions télévisées de mon enfance.

Cette évocation de notre destinée me glaçait le sang. Ainsi, un jour j'ai préparé mes bagages et ceux de Romain. Si ma mère devait partir, nous serions prêts à la suivre malgré elle. Je savais Romain courageux, il accepterait de rester s'il le fallait, il affronterait Bouchard comme Thésée, le Minotaure. Mais moi, j'étais plutôt du genre poule mouillée. Je préférais utiliser la ruse et me faufiler comme le petit Poucet.

Dans un vieux drap trouvé dans le garage sous des pots de peinture, j'avais entassé mes oursons préférés, une Barbie avec sa robe de princesse, les colliers que ma grand-mère m'avait donnés et un échantillon de parfum ramassé à la pharmacie. J'avais caché le paquet dans le fond de ma garderobe. J'ai eu plus de difficulté à préparer la valise de Romain. Je ne pouvais pas le départir de ses trésors sans attirer son attention. J'ai donc dû me replier sur des objets qu'il avait déjà aimés. Au pire, je pourrais l'aider à ramasser le reste au moment de notre fuite. J'avais donc pris l'habitude de ranger son bureau en plaçant ses jouets favoris dans un coin. Cette nouvelle manie avait pour effet de le mettre hors de lui. Un jour, il me remercierait.

Ma mère a découvert mon bagage et l'a sorti de sa cachette. Je l'ai refait et l'ai glissé sous mon lit. Le lendemain, mes oursons étaient de retour sur mes étagères et ma Barbie sur ma commode. Je suis allée voir la valise que j'avais préparée pour Romain, elle était intacte. J'ai compris ce jour-là que ma mère et lui étaient de connivence. J'avais vu dans un film une scène où un soldat allemand obligeait une mère à choisir entre son fils et sa fille. Elle avait choisi son fils. C'est à cette époque-là que j'ai commencé à faire des cauchemars.

Cette nuit, dans mon rêve, le chat marchait dans le gazon. Il secouait ses pattes à chaque enjambée comme pour les dégager de quelque chose. Les oreilles bien droites et les moustaches relâchées, il semblait heureux. J'ai tout de suite pensé que Pantoufle était de retour. Elle n'avait pas épuisé ses neuf vies. Elle était revenue. C'est pour ça que ce matin, portée par mon rêve, j'ai rendu visite au concierge.

Ce qui a fait que je suis partie avec l'animal, c'est que le concierge m'avait menti. Je déteste que l'on me mente, surtout quand on le fait en me regardant droit dans les yeux. Je déteste aussi être volée, surtout lorsqu'on procède quand j'ai le dos tourné. Alors quand j'ai vu ce tibia osseux barrer la route à mon héritage paternel, j'ai foncé sans réfléchir.

Je me demande si je ne devrais pas aller le porter directement à la Société protectrice des animaux. Ai-je réellement envie de m'occuper de l'animal de Bouchard ? L'idée a à peine eu le temps de frôler ma conscience que le chat a ouvert la gueule dans un long bâillement, étiré ses pattes au bout desquelles j'ai découvert les pantoufles blanches de mon enfance. C'est Pantoufle. Elle est enfin revenue.

Éos m'attendait derrière la porte tel un amant trompé qui exige des explications. Je l'ai rabrouée comme je l'aurais fait pour un prétendant jaloux qui s'inquiète inutilement. Pour éviter toute échauffourée, je l'ai enfermée dans la salle de bain avant de descendre au sous-sol Pantoufle, la cage, la litière et les bols que je venais d'acheter. Le concierge avait tenté de me refiler ses vieilleries. Je lui avais dit qu'il pouvait les garder. Je suis redescendue porter de l'eau à Pantoufle et un peu de nourriture. Je lui ai expliqué que ce serait sa nouvelle maison le temps qu'on s'apprivoise tous les trois.

Je regardais Pantoufle renifler le sol, les boîtes, les pneus d'hiver, la pelle et il me semblait que ma chatte s'était réincarnée en mâle. J'ai soulevé sa queue et, comme si elle avait honte de quelque chose, elle s'est dégagée d'un brusque mouvement du bassin. Mais j'ai eu le temps de voir qu'il y avait bien eu transsexualité. Peut-être n'avait-elle pas le choix du genre ? Peut-être a-t-elle pensé qu'ainsi elle aurait davantage de chances de se défendre et d'éviter de finir au bout d'une corde ? Mais que faisait Bouchard avec un chat ?

Il était presque neuf heures lorsque je suis arrivée à la boutique. Mon premier appel a été pour le notaire. Je suis tombée sur sa boîte vocale. Je lui ai demandé de me rappeler. Je lui ai laissé mes coordonnées chez moi et à la boutique, en plus de mon numéro de cellulaire qu'il a déjà, comme tous les autres numéros d'ailleurs. En fait, Olivier est bien plus qu'un notaire, c'est mon ami. Nous avons un peu flirté ensemble l'année dernière avant que je réalise que même si c'était une autre saveur dans la boîte de chocolats, ce n'était pas ma préférence. Nous avons réussi à rester amis. Olivier compte sur moi pour le guider dans les dédales de la psychologie féminine et je compte sur lui pour m'aider à prendre des décisions financières.

J'ai changé d'idée. Je reprends le combiné et compose à nouveau le numéro. Je préfère mettre Olivier dans le coup tout de suite pour gagner du temps. Je lui explique que ma maison est peut-être celle de mon père. J'ai trouvé une photo qui semble le confirmer. Je tente d'être plus précise en ajoutant que j'ai trouvé une photo qui me laisse croire que j'habite chez mon père. Consciente que mes explications ne sont pas tout à fait claires, je lui dis souhaiter qu'il vérifie si mon père a déjà habité chez moi. Je conclus en mentionnant que le plus simple est peut-être de me rappeler. Je raccroche, découragée.

– Madame Després?

Une fille à la voix radiophonique m'annonce sur un ton neutre une nouvelle qu'elle sait mauvaise. J'ai droit à un peu moins du tiers de la somme prescrite par la loi, soit pas tout à fait six cents dollars. « Cinq cent quatre-vingt-treize », a-t-elle précisé. Elle tente de m'expliquer, mais la logique tarabiscotée des fonctionnaires m'échappe. J'ai remercié la fille par habitude avant de lui demander d'ignorer ma requête.

– Cinq cent quatre-vingt-treize dollars, c'est mieux que rien, elle a insisté.

Je l'ai remerciée une deuxième fois. J'allais m'organiser toute seule. Ma réaction a eu un drôle d'effet sur moi. J'ai ouvert la porte de la boutique toute grande et je me suis installée au centre avant de prendre une grande respiration.

J'étais riche. Je venais de dépenser deux mille cinq cents dollars en moins de cinq secondes. Deux mille cinq cents dollars partis en fumée. Investis dans le néant. Mais j'avais eu un père et comme tout le monde, j'allais l'enterrer avec mon argent. La fierté a un prix. Deux mille cinq cents dollars. Comblée par ma condition de nouveau riche, j'ai immédiatement appelé Magnus Poirier pour commander la version longue de la prière et quelques petits extras, dont de la musique.

J'ai passé le reste de la journée à refaire le filage de trois lampes. J'ai réussi à terminer la plus compliquée en fin de matinée, entre divers appels à des fournisseurs et l'accueil de clients qui venaient chercher ou porter des lampes. C'est particulièrement calme ce matin. Il n'y a eu qu'un seul appel, celui de Romain. Je finissais de manger une salade de couscous en écoutant Pink Martini quand le téléphone a sonné. Il voulait savoir comment j'allais. Il a contacté sa compagnie aérienne, il peut devancer son retour si je le souhaite.

– Ce n'est pas nécessaire, j'ai dit.

Il m'a posé des questions sur la maison, puis nous avons parlé de Bouchard et de notre enfance. J'aurais voulu lui demander si c'était aussi terrible que dans mes souvenirs mais je n'ai pas osé, à cause des enfants.

Trois cent mille enfants soldats impliqués dans des conflits armés. De la chair à canon docile, influençable et facile à enrôler. Des enfants pour lesquels Romain se bat depuis ce matin d'automne où il a lu un article sur des enfants ougandais qu'on avait kidnappés et forcés à participer à des exactions. Ceux qui avaient tenté de fuir avaient été exécutés par les autres enfants du contingent.

Romain s'était levé de table, avait plié le journal, l'avait déposé sur sa chaise et s'était enfermé dans sa chambre. Ma mère et moi n'avions pas eu le courage d'ouvrir la porte ni même pensé à feuilleter le journal pour voir ce qu'il avait lu. Lorsqu'il est ressorti, il a demandé à ma mère qui s'occupait des enfants soldats. Elle a dit « Amnistie internationale ». Plus tard, nous avons appris qu'il faisait du bénévolat pour l'organisation. Il y occupe un poste permanent depuis neuf ans déjà.

Il m'a dit « je t'aime » comme il le fait toujours lorsqu'il est au bout du monde. « Je t'aime moi aussi », ai-je répondu en écho.

À l'époque du sans-fil, j'ai grand bonheur à glisser de longs fils électriques dans le ventre de mes pieds de lampes. J'éprouve toujours du plaisir à découvrir le bout de cuivre plastifié à l'autre extrémité. D'abord, parce que cette étape annonce la fin des travaux, mais aussi pour la joie enfantine de voir apparaître une chose, aussi élémentaire soit-elle. Je me souviens de ma mère qui me faisait des *coucous*, le visage caché au creux de ses mains. Je regardais ses beaux yeux verts surgir au rythme d'une horloge à balancier, « coucou, coucou », répétait-elle. Et moi, je riais. En fait, c'est faux, je n'ai aucun souvenir de ces moments, c'est ma mère qui m'a raconté cette anecdote alors que je lui parlais du plaisir que j'avais à enfiler les lampes.

C'est ainsi qu'elle m'a dit qu'enfant, j'avais l'habitude de relier les choses les unes aux autres. Je plaçais le bout d'une corde dans l'entrebâillement d'une armoire et allais coincer l'autre bout sous le réfrigérateur. Je reliais le téléviseur au sofa, la machine à coudre au pupitre, Pantoufle à la table de cuisine, et ainsi de suite. Ma mère croyait dur comme fer que ce jeu présageait mon intérêt pour l'électricité. Ma psychologue a une interprétation qui me paraît plus juste. Elle dit que je tentais de maintenir ensemble un univers éclaté. J'ai aussitôt pensé à Bouchard qui aimait tant les ponts.

Ma mère est morte frappée par un mastodonte sur l'avenue Christophe-Colomb. Les arbres avaient perdu leurs feuilles. L'automne menaçait les Montréalais de son vent froid. La nuit venait de tomber. Le ciel s'était ennuagé. Le chauffeur ne l'a pas vue. Elle est décédée sur le coup. Une mort aussi inutile qu'injuste. Bouchard aurait mérité une fin aussi tragique. Pas elle. Pas ma mère.

Il me semble qu'elle commençait à peine à reprendre le dessus sur tous les tracas qu'elle avait dû traverser pour nous amener à bon port, c'est-à-dire à faire de nous des adultes responsables et relativement épanouis. Elle s'en est toujours voulu de s'être trompée sur le compte de Bouchard. Elle faisait régulièrement référence aux pères des autres. À ceux de mes amies. Aux chefs d'entreprises dont elle suivait la carrière à la télévision. Aux politiciens qu'elle idolâtrait. À tous ces hommes qui auraient été des pères tellement meilleurs que le nôtre. Nous étions d'accord sur le fond. N'importe qui aurait été mieux que Bouchard. Mais il était trop tard pour changer quoi que ce soit.

Je crois que c'est parce qu'elle craignait de se tromper à nouveau qu'elle est restée seule avec nous. À une certaine époque, elle est sortie avec un homme, plus jeune qu'elle je crois. La relation s'est terminée abruptement. J'ignore pourquoi. Ma mère était avare de commentaires, surtout lorsqu'il s'agissait des hommes. Tout ce que je sais, c'est que cette relation a sonné le glas de sa vie amoureuse. Après, elle a embrassé le célibat comme d'autres entrent en religion, avec ferveur. J'ai tenté à maintes reprises de la convaincre de ne pas bannir ainsi quarante-neuf pour cent de la population mondiale, mais sa décision était irrévocable. J'aurai aimé qu'elle tombe amoureuse, pas tellement pour elle, mais pour moi, pour me donner confiance dans cette autre partie du monde avec laquelle j'allais devoir me réconcilier.

Lorsque je pense à ma mère, je me rappelle surtout la ligne de séparation de ses cheveux. Je l'ai regardée tant de fois réparer des livres la tête baissée, occupée à remettre en ordre des récits qui avaient perdu tout leur sens. Elle aimait l'odeur du papier et plus encore, celle du cuir. Sa senteur préférée était celle de la colle. Elle disait que ça lui rappelait son enfance, le bricolage, mais surtout une certaine insouciance. Fait surprenant, elle ne lisait pas. Tout ce qui la passionnait, c'était de replacer les pages pour que les histoires des autres puissent continuer à vivre.

C'est ainsi que j'ai vu vieillir ma mère, au fond de sa chevelure. Au tout début, quand nous vivions encore avec Bouchard, la raie de ses cheveux me faisait penser à une route partageant en deux un champ de blé au coucher du soleil. Ma mère était rousse. Plus tard, lorsque nous avons emménagé dans notre premier appartement de famille éclatée, des cheveux gris sont venus strier sa belle chevelure. Ce gris triste n'était pas sans me rappeler les journées d'automne, la pluie, les murs de pierre et les films en noir et blanc. Au fil des années, ses cheveux sont devenus complètement blancs. J'avais le sentiment qu'elle avait fait la paix avec quelque chose, avec elle-même peut-être. Avec le temps, il n'est plus resté de sa rousseur que son teint de lait. C'est ainsi que j'ai vu ma mère vieillir, en observant sa tête.

Lorsqu'elle finissait par lever son beau visage, je découvrais une femme inquiète, soucieuse. Elle voulait savoir ce que je regardais ainsi. Je la regardais, elle. J'imaginais ce qu'avait été sa vie, ou plutôt ce qu'elle n'avait pas été. Ce qu'elle avait reçu en héritage, ce qu'elle en avait fait, ce qu'elle aurait voulu nous léguer et ce qu'elle nous léguerait vraiment. Je pensais à sa part de responsabilité, à la mienne, à celle des enfants que j'espérais avoir, un jour.

Je pensais surtout que je l'aimais fort, très fort. Je me foutais qu'elle ait fait le mauvais choix au départ. Elle avait accompli un travail remarquable après. Elle m'avait surtout fait cadeau de la vie, aussi imparfaite soit-elle. Elle ne nous avait jamais abandonnés. Elle avait fait de son mieux et j'étais entièrement responsable du reste. J'aurais aimé pouvoir la rassurer, mais je craignais qu'en faisant cela, je lui donnerais l'impression que je lui pardonnais. Elle n'avait rien à se faire pardonner.

Si elle avait pu, ma mère aurait divorcé peu de temps après son mariage. En fait, la troisième fois que Bouchard avait levé la main sur elle. La première fois, elle s'était dit que Bouchard n'était pas dans son état normal. La seconde fois, elle en avait pris la responsabilité. La troisième fois, elle avait compris que les coups seraient la réponse de Bouchard à toutes ses frustrations.

Elle était alors enceinte de Romain. Elle s'était dit : « Une fois l'enfant né, ce sera plus facile. » L'arrivée d'un Romain imparfait n'a fait que compliquer les choses. Elle a dû remettre son projet à plus tard, « une fois les opérations terminées ». Mais cette fois-là, c'est ma naissance qui l'a empêchée de partir. Elle s'est encore dit : « Une fois l'enfant né, ce sera plus facile. » Mais rien n'a jamais été facile et les années se sont succédé sans qu'elle trouve le bon moment pour tirer sa révérence.

— Tout ce que t'avais à faire, c'était des enfants, et t'as réussi à livrer de la marchandise avariée. T'es une bonne à rien.

Elle était presque arrivée à le croire lorsque Romain, sans le vouloir, a changé le cours de notre existence. Mon frère avait une seule passion, la lecture. Comme les finances de la maison ne nous permettaient pas d'acheter des livres neufs, ma mère récupérait et restaurait des livres usagés. Au fil du temps, elle était devenue la référence dans le quartier en matière d'assemblage et de recollage de pages égarées.

Sa renommée avait franchi la porte de notre directeur d'école qui lui avait confié la restauration de *La Grande Encyclopédie Larousse* en vingt-et-un volumes, tous abîmés par un dégât d'eau. Personne n'y croyait, elle l'a fait. C'était cela, ma mère. Une fois la remise à neuf du cinquième ouvrage terminée, le directeur lui a offert un poste permanent à la bibliothèque. La moitié de son temps serait consacrée à réparer des livres et l'autre, à surveiller les enfants qui les brisaient. Elle avait un emploi assuré à vie.

Deux mois plus tard, nous faisions nos bagages. C'était en octobre 1992. Une journée parfaite. L'automne avait établi ses droits. L'été n'avait pas encore dit son dernier mot. Profitant du meilleur des deux saisons, Bouchard avait décidé de partir en week-end de pêche. Ma mère, qui avait toujours accueilli ces sorties entre copains avec un certain scepticisme, était plutôt joviale cette fois-là. Lorsque j'y repense aujourd'hui, je ne comprends pas que Bouchard ne se soit douté de rien. Il devait être trop sûr de lui pour détecter les signes avant-coureurs de l'explosion qui allait pulvériser sa vie et déclencher l'expansion de notre univers.

Aussitôt la porte refermée, ma mère avait téléphoné à son frère pour l'informer que Bouchard était parti. Par pur hasard, les cloches de l'église derrière chez nous ont retenti au même moment. Je me suis alors souvenue d'un film où un jeune homme au teint basané et aux vêtements usés faisait résonner une cloche pour prévenir les villageois de l'arrivée imminente de l'ennemi. J'ai interprété cette coïncidence comme un signe du ciel. Informée du danger qui nous menaçait, ma mère avait haussé les épaules en m'accusant de trop écouter la télévision. Convaincue qu'elle avait tort et moi raison, j'ai guetté par la fenêtre du salon le retour de Bouchard avant de me rappeler que les cloches sonnaient aussi, sur ce rythme lent, lors de funérailles. J'avais mal interprété le signal.

Le frère de ma mère est arrivé à la maison dans les minutes qui ont suivi. Il était accompagné de deux amis maigres comme des clous mais forts comme des bœufs. Ils ont reculé un camion dans l'entrée de garage, lui ont ouvert tout grand la gueule et l'ont gavé de tout ce qui constituait notre foyer.

Pendant ce temps, ma mère dirigeait le chantier en criant des ordres ou en répondant à ceux de son frère qui avait pris le contrôle des travaux dehors. Je ne l'avais jamais vue dans un tel état d'excitation. En fait, je ne l'avais tout simplement jamais vue aussi vivante. Je crois qu'elle était tout autant terrifiée à l'idée que Bouchard puisse revenir sur ses pas qu'exaltée d'avoir enfin trouvé le courage de l'abandonner. C'est dans cette ambiance de terreur contenue et de joie triomphante, sur fond de glas funèbre, que ma mère, Romain et moi avons mis notre ancienne vie en boîte.

À la tombée de la nuit, il ne restait plus rien. Les murs que ma mère avait toujours pris soin de garder propres laissaient apparaître des dizaines de carrés plus pâles et autant de petits trous noirs. Nous n'avons pas éteint une dernière lampe pour une dernière fois car elles étaient toutes entassées dans le fond du camion. Personne n'a regardé en arrière. Nous sommes plutôt partis au pas de course, heureux de nous en être sortis vivants.

Romain a décidé de monter dans le camion avec les gars. Moi, je me suis retrouvée toute seule sur la banquette arrière de la voiture de mon oncle. Assise à côté de lui, ma mère regardait ses mains comme si elles avaient fait quelque chose de mal. Et il y a eu un bruit épouvantable venant de chez nous. *Bouchard !* j'ai aussitôt pensé. En fait, c'était la porte du camion qu'un des gars avait laissée tomber. Le frère de ma mère s'est retourné vers moi pour me serrer le genou très fort dans un élan de tendresse. Il me croyait triste. Il n'avait pas tort. Plus jamais je ne reverrais Pantoufle. Si un jour elle se décidait enfin à rentrer à la maison, je ne serais pas là pour l'accueillir.

Il y a des gens qui réfléchissent sur le bonheur. Moi, je n'ai pas ce talent. En fait, je ne comprends pas le concept même du bonheur, ce qui rend heureux et ce qui éloigne du bonheur. Mais il y a une chose dont je suis absolument certaine, je suis heureuse depuis le jour où ma mère nous a rendu notre liberté. Je me suis réveillée le premier matin de notre évasion familiale dans une chambre qui n'était pas encore la mienne, au fond d'une pièce remplie de boîtes. Le soleil entrait à flots par la fenêtre et j'ai su à ce moment-là que le bonheur, c'était ce que je ressentais. Ce n'était pas les rayons du soleil qui faisaient que j'étais heureuse, mais l'assurance que nous étions enfin à l'abri de Bouchard. J'étais naïve.

Tous les manuels qui traitent du monde animalier le disent, une bête blessée est plus dangereuse qu'un animal sain. Ma mère avait frappé fort. Non seulement elle avait quitté Bouchard, ce dont il la croyait incapable parce que trop sotte, à son avis, mais elle l'avait fait de manière sournoise, en déjouant son attention pendant qu'il prenait son plaisir ailleurs. Elle s'était jouée de lui. Autant de finesse dans l'action ne pouvait qu'exacerber la folie de Bouchard et y précipiter le peu de raison qu'il lui restait encore.

Il avait mis quatre jours à nous retrouver. Nous avons compris qu'il avait réussi à nous rattraper quand une roche lancée à travers la fenêtre ouverte du salon est venue fracasser un verre oublié sur la table. Puis nous l'avons entendu crier « espèce de salope, tu vas me le payer cher », ou quelque chose comme ça. Ma mère s'est jetée sur le téléphone pour appeler la police, et Romain sur moi en proie à une crise de nerfs. Lorsque les policiers sont arrivés, Bouchard s'était éclipsé. Nous n'avions pas de preuve que c'était lui, alors ils sont repartis.

La fois suivante, il a frappé ma mère au visage parce qu'elle refusait qu'il apporte ses affaires dans notre appartement. Romain était sorti armé d'un bâton de baseball. Bouchard s'en était saisi et lui avait asséné un coup dans les jambes. Ma mère a couru téléphoner à la police. Bouchard n'était plus là quand les policiers sont arrivés. Comme il n'y avait pas de preuve que c'était lui, ils sont partis. Nous sommes allés à l'hôpital en taxi faire plâtrer la jambe de Romain.

Un jour il s'est posté devant les fenêtres de la bibliothèque de l'école, juste en dessous de celles de ma classe, et il a crié que ma mère était juste une putain, qu'elle couchait avec le directeur et que c'était pour ça qu'elle avait eu sa job, parce que sinon, tout le monde savait bien qu'elle était une bonne à rien. Ce jour-là, lorsqu'il a expulsé son venin d'un seul jet, planté devant ma classe, les jambes écartées comme pour uriner tandis que le professeur d'arts plastiques tentait de nous expliquer la technique du fusain, les policiers ne sont pas intervenus. Ils étaient occupés ailleurs.

À la fin, ma mère ne téléphonait même plus au poste, nous savions que les policiers arriveraient trop tard ou qu'ils seraient impuissants à nous aider. Dans ce temps-là, ils s'adressaient à ma mère sur un ton autoritaire, comme si elle était responsable de quelque chose. En fait, on les dérangeait.

Le fait d'être ainsi confrontés à leur impuissance les agres-
sait. Alors, à leur tour, ils nous agressaient pour se défendre.

D'aussi longtemps que je me souvienne, j'ai toujours souhaité la mort de Bouchard. À sept ou huit ans je m'imaginais simplement annoncer à mes amies qu'il était décédé.
J'ignorais la manière dont il avait trépassé, mais je me voyais
simuler une peine qui ne m'habitait pas et que je savais être
de circonstance. Elles éprouvaient du chagrin à ma place, ce
qui avait pour effet de me mettre mal à l'aise.

Plus tard, j'ai appris de mon professeur de catéchisme que
Dieu était infiniment bon. Comme je n'avais *a priori* aucune
raison de ne pas le croire, je me suis mise à l'implorer d'intervenir dans ma famille. En fait, je remettais entre ses mains
la délicate responsabilité de nous débarrasser de Bouchard.
Ma foi a commencé à fléchir le jour où j'ai bien vu que Dieu
ne répondait pas à mes signaux répétés de détresse.

Malgré mon jeune âge, je comprenais que laisser une
enfant dans le malheur n'était pas un signe de compassion.
Romain venait toujours à ma rescousse. Pourquoi Dieu, lui,
me boudait-il ainsi? Puis, un jour, j'ai entendu ma mère
raconter à une de ses amies que le Bon Dieu, c'était pour les
faibles. Pour ceux qui avaient besoin de croire que quelqu'un
allait les sortir du trou. J'ai revu mentalement le trou noir de
la chambre de mes parents et j'ai aussitôt compris pourquoi
personne ne nous libérait de l'ogre. Dieu n'existait pas.

Par un triste concours de circonstances, mon frère m'a
avoué le même hiver que le père Noël était en réalité un
monsieur déguisé. Une astuce parentale pour tenir les
enfants tranquilles trois mois par année. Il m'a aussi dit qu'il
était inutile de lui écrire. Les lettres étaient ouvertes et lues
par le facteur qui répondait et signait à sa place. Voyant mon

scepticisme, il a ajouté un argument-choc en me racontant qu'il avait déjà entendu des personnes lire à la radio ces lettres au père Noël et dire combien c'était triste de voir qu'il y avait des enfants aussi malheureux.

Je n'étais pas tout à fait convaincue en ce qui concernait le faux père Noël, mais l'idée que mes échanges avec lui puissent faire l'objet d'un reportage à la radio me terrifiait. *Bonjour père Noël, Mon papa est très méchant avec ma maman et avec mon grand frère. Si tu pouvais lui trouver une autre maison où habiter, ce serait un beau cadeau. Est-ce que tu aimes les biscuits au beurre d'arachide? Je t'aime père Noël. Viviane.* J'ai aussitôt cessé toute correspondance.

Lorsqu'il est apparu clairement que nous n'aurions jamais la paix, même dans notre deuxième maison, j'ai décidé de tuer Bouchard de mes propres mains. Je m'imaginais le descendre d'un coup de feu en pleine poitrine, comme dans les films. Je me tenais debout devant lui, avec tout le courage qui m'avait manqué jusque-là, et j'appuyais sur la gâchette en évitant de le regarder dans les yeux. Bouchard s'effondrait dans un bruit sourd et moi, j'allais rebondir sur le mur. Je restais figée dans le coin jusqu'à ce que son corps disparaisse comme par magie.

Romain et moi discutions régulièrement de ce projet. Il était d'accord sur l'essentiel. Nous devions nous en débarrasser. Seulement, il pensait que ce meurtre lui revenait de droit puisqu'il était l'aîné. Ma mère qui avait surpris une de nos conversations avait été catégorique. Il était malsain que des enfants pensent à tuer leur père. Si quelqu'un devait agir, c'était elle. Elle nous avait mis dans le pétrin. Elle nous en sortirait. À partir de ce jour-là, j'étais terrorisée à idée que ma mère ou mon frère passent aux actes et se retrouvent en prison. Je considérais que Bouchard ne valait pas le mal que cela nous ferait. Je préférais de loin continuer à le détester en famille, plutôt que célébrer sa mort en orpheline. Heureusement, personne n'a eu besoin de le tuer, quelqu'un d'autre s'est chargé de l'éloigner de nous.

Bouchard est tombé en amour. Ses bons sentiments pour une jeune fausse blonde qu'il baladait fièrement dans sa vieille Cadillac avaient eu un effet apaisant sur sa colère. Mais quand sa nouvelle flamme l'a quitté à son tour, le souvenir de notre existence et de notre trahison lui est remonté à la gorge. Il était revenu vers nous comme le balancier d'une pendule. Puis il a rencontré une autre femme qui a, elle aussi, disparu. Et une autre et encore une nouvelle. Ainsi, avec le temps, alternant amour et haine, il a fini par nous oublier pour de bon. Six ans s'étaient tout de même écoulés.

Je l'ai revu une seule fois par la suite. Je devais avoir vingt-deux ans. J'attendais une amie dans un café de la rue Saint-Denis. Il est entré et s'est installé à une table de biais par rapport à la mienne. Je l'ai entendu se commander une bière. J'essayais d'éviter de le regarder, mais la tentation était trop forte. Ses cheveux blonds descendaient en courtes mèches délicates sur son crâne. Il portait des lunettes beaucoup trop grandes pour son visage amaigri. Si j'avais douté un seul instant de son identité, le large sourire dont il avait gratifié la serveuse et qui laissait paraître sa dentition imparfaite m'aurait convaincue. Il a surpris mon regard une première fois, puis une autre. La troisième fois, il est venu vers moi.

— Il faudrait être imbécile pour laisser une aussi jolie femme seule.

Je me suis levée et je suis partie. Je l'ai entendu marmonner dans mon dos.

— Femelle stupide.

$\sim$

Entre deux pieds de lampes à recâbler, j'ai dérangé Florence au travail, ce que je fais rarement, seulement en cas d'urgence. Elle était essoufflée lorsqu'elle a pris la ligne.

— Un chat.

J'ai réalisé la futilité de mon appel en m'entendant lui annoncer la nouvelle. Florence aurait été en droit de se mettre en colère et de me demander de la rappeler plus tard, elle ne l'a pas fait. D'instinct, elle avait compris que cette information était importante pour moi. Elle a pris le temps d'écouter toute mon histoire, à partir du moment où je suis allée vider l'appartement de Bouchard jusqu'à celui où je me suis invitée chez le concierge. J'entendais les jeunes se chamailler derrière elle. Florence travaille dans un centre pour adolescents en difficultés.

— Moins fort s'il vous plaît, elle leur a demandé gentiment.

Florence a toujours été douce, c'est dans sa nature. Les conflits, elle les règle en baissant le ton, ce qui oblige les autres à ajuster le niveau de leur colère, soutient-elle. Jusqu'ici, ça semble fonctionner.

— Suis ses traces, a-t-elle fait.

Il n'y avait qu'elle pour me répondre ainsi. Suivre les traces du chat. Enquêter comme le ferait l'inspecteur Columbo. En fait, il y a plusieurs chats dans l'histoire. Il y a eu Pantoufle, pendue comme une coupable. Iris, mort d'épuisement. Éos qui m'a trouvée et adoptée un soir d'hiver. Et puis Pantoufle réincarnée en mâle. J'avais quatre pistes à suivre. À moins qu'il ne s'agisse du même animal, me suis-je dit.

Au moment même où je déposais le récepteur, la porte de la boutique s'est ouverte sur deux grandes filles juchées sur des talons hauts comme des pieds de lampes, moulées de jeans minces comme du papier de soie et étroits comme des fils électriques. Je devais avoir l'air bizarre parce qu'elles m'ont demandé si j'allais bien. Ce n'était pas tant leur allure féline qui m'avait coupé le souffle, mais les chats que j'avais imaginés s'élançant dans toutes les directions alors que je me demandais lequel je devais suivre.

Elles avaient téléphoné à plusieurs reprises. Toujours le répondeur, a dit la brune. Moi qui croyais que c'était Gabriel, le téléphone qu'on raccrochait. J'étais à moitié déçue et à moitié rassurée. Est-ce qu'elles me dérangeaient?

– On organise une réception pour une boîte de publicité. On veut louer des lampes, avait dit la plus vieille pendant que l'autre passait ma boutique au scanneur.

Mes lampes figurent régulièrement sur des plateaux de tournage, mais c'était la première fois qu'on me contactait pour un événement privé. Ces petits contrats constituent une intéressante source de revenus pour moi, en plus de faire connaître ma boutique.

Nous avons passé l'heure suivante à choisir des lampes et à essayer différents éclairages avec des ampoules de diverses intensités. La réception aurait lieu en soirée dans un loft privé dont les fenêtres donnent sur le fleuve, quelque part dans le Vieux-Montréal. J'ai tout de suite imaginé une ambiance où les lampes s'allumeraient au fur et à mesure que le soleil se coucherait. Je voyais des taches cognac, noisette et rouille s'enflammer dans un ciel bleu-noir moucheté de taches lumineuses.

– Cool! s'est exclamée la grande fille.

Je leur ai recommandé des abat-jour de couleurs et textures différentes ainsi qu'un choix de lampes à déposer sur des tables à café et d'autres sur pied. Je leur ai également proposé de leur confectionner des abat-jour en chiffon rouge rappelant des silhouettes féminines, qu'elles pourraient placer à l'entrée de l'appartement. Ce seraient elles qui accueilleraient les invités.

— Cool! a dit l'autre.

Elles ont choisi en tout dix-huit lampes, en plus de confirmer la commande pour la création de deux abat-jour. Elles enverraient un camion chercher la marchandise jeudi prochain.

— Cool! ai-je conclu en leur tendant la main.

— Ben *làààà*, vous… est-ce que vous buvez à fréquence régulière ou seulement quand vous avez soif?

— Heu… quand j'ai soif…

— Ben les plantes, c'est *paaareiiil*… Je ne comprends pas pourquoi les gens *arrooosent* leurs plantes tous les samedis *maaatin*… le truc c'est *çaaa*… dit le fleuriste en exhibant fièrement son index droit. Vous mettez votre *doooigt* dans la terre… — il joint le geste à la parole — et si elle est *mouuuiillée*… — il ressort un doigt taché de terre — c'est qu'elle n'a pas *soiiif*…

Gabriel a appris le décès de mon père. J'imagine qu'il y a eu coulage du côté de Jean, le mari de Florence. Je sais qu'ils se croisent à l'occasion au supermarché. Il m'a fait livrer deux douzaines de roses blanches. Pour une fois qu'il m'envoie des fleurs et non le pot, je devrais être contente. Si je n'étais pas absolument certaine qu'il s'agit d'une manière détournée de me relancer, j'en serais presque heureuse.

Comme toujours, Gabriel ne prend aucun risque. Il tente sa chance à distance, du bout des doigts. Vingt-quatre roses blanches d'un seul coup. Je regarde les boutons à peine éclos avec le sentiment d'avoir été mitraillée par un message de paix. J'aurais préféré qu'il vienne directement vers moi. Qu'il trouve le courage de m'affronter, d'entendre ma colère. Cette manière de se cacher derrière un bosquet m'irrite. J'y détecte de la lâcheté. La même dont il a fait preuve tout au long de notre relation et jusqu'à notre rupture consacrée par un courriel.

Je m'étais promis de ne plus jamais revenir chez ce fleuriste. La facilité l'a finalement emporté sur le désagrément que j'anticipais. J'aurais dû me contenter d'acheter un vase, plutôt que de lui demander des conseils sur le jaunissement des feuilles. Plus jamais je ne lui poserai de questions à développement.

Je consacre le reste de l'après-midi à chercher une manière de tamiser l'éclat d'une lampe à abat-jour en métal qu'un client m'a demandé de doubler pour mettre en valeur ses motifs ciselés. Il s'agit d'un dôme de grande taille. J'avais d'abord refusé de faire ce travail. Je suis finalement revenue sur ma décision devant son insistance, et aussi parce que l'envie était grande de me mesurer à ce défi. Il m'a donné carte blanche tant sur le processus que sur le choix des couleurs.

J'ai finalement réussi à tamiser l'éclairage en apposant du papier de riz sur le globe que j'ai ensuite enduit d'une fine couche d'acrylique. Lorsque j'ai enfin levé la tête, il était dix-neuf heures. Je n'avais pas vu le temps passer. J'ai regardé mon œuvre de loin, j'étais fière de moi. J'ai tout de suite téléphoné au client pour l'aviser qu'il pourrait passer chercher son abat-jour vendredi. Je sais par expérience que les clients aiment récupérer leur lampe le vendredi. Mes sources lumineuses semblent bien amorcer leur fin de semaine.

Aucun éclairage artificiel ne peut égaler la lumière solaire. Mais je pense sincèrement que cette lampe arrivera à créer l'atmosphère que mon client recherche. Il souhaitait donner à sa pièce de travail une atmosphère feutrée, rehausser la chaleur du bois de ses bibliothèques par celle de la lumière. Pour moi, la lumière est toujours partie intégrante d'un thème. Ici c'est le calme, la réflexion, le repos. D'où mon choix de la couleur tabac pour le papier de riz. Comme il ne s'agit pas d'un éclairage fonctionnel mais plutôt d'ambiance, je n'ai pas vraiment eu à me soucier qu'il soit performant. Les éclairages diffus sont ceux que je préfère.

Lorsque je conseille un client, je compose généralement avec un éclairage mixte dans lequel la lumière artificielle, celle qui provient des lampes, des appliques et des plafonniers, complète le jour qui entre par les fenêtres, les portes vitrées et les puits de lumière. Je demande toujours à mes clients de me suggérer un thème, celui qui devrait émaner de la pièce une fois la composition de l'éclairage achevée. La question en embête plus d'un. Ils finissent par entrer dans le jeu : la paix, la joie, la chaleur, le romantisme. Ils lancent des mots à la volée, que j'enregistre et transpose en lumière.

S'il existe un moment dans la vie où l'humilité s'impose, c'est bien lorsqu'on cherche à reproduire la lumière. La lutte est très inégale entre le naturel et l'artificiel, et la lumière qui s'offre au grand jour est mille fois supérieure à celle que l'on tente de recréer. Mais quand on sait que l'on part perdant, on peut réaliser de très belles choses.

– Tu peux me prendre en fin de journée ?

J'ai l'habitude d'aller voir Manuel lorsque je suis confuse. Je l'utilise comme psychologue substitut quand la gravité de la situation ne justifie pas l'intervention d'un profession-

nel et après avoir fait un usage abusif de la compassion de
Florence. Ensemble, lui avec ses grands bras qui virevoltent
autour de ma tête et moi qui lui répond dans le miroir, nous
arrivons à trouver des réponses aux questions non fonda-
mentales de la vie.

Le problème est que je dois avoir une excuse pour aller le
voir. Je ne peux pas simplement invoquer mes états d'âme
pour consulter mon coiffeur, alors je prétexte le besoin d'une
coupe de cheveux, ce qui restreint les occasions de rencontre.

– Il m'a fait livrer des fleurs…

Manuel aimait bien Gabriel. Il le trouvait séduisant. Son
animosité pour lui, c'est moi qui la lui ai transmise comme
on inocule un virus dans un corps sain pour le rendre plus
résistant. Aujourd'hui, je n'ai qu'à prononcer son prénom et
le poil lui dresse sur les bras.

– Regarde mes bras, j'ai les poils qui se dressent… tu peux
pas retourner avec lui…

Je partage tous les arguments qu'avance Manuel.
Évidemment, ce sont les miens. Il les maîtrise très bien depuis sept ans que je viens m'asseoir sur sa chaise tous les
mois. J'ai stimulé massivement son cerveau. Des centaines
d'heures de données téléchargées que je viens récupérer au
besoin comme on retire de l'argent au guichet automatique.

Ce que Manuel a, et que je n'ai pas, c'est le désir de me
protéger. Avec Gabriel, j'avançais à l'aveuglette en me faisant croire que derrière la porte se tenait quelqu'un de bien.
Manuel, c'est la main sur mon épaule. Il me pince les ouïes
lorsque je fais le geste de saisir la poignée. Il me rappelle les
horreurs qui se trouvent derrière. Toutes ces horreurs que je
sais être là mais que je tente de nier.

– Viviane, tu mérites mieux…

J'ai les cheveux gommés de colorant. La teinture m'a
fait une bordure brunâtre sur le front. Mon maquillage est

presque disparu. J'ai les traits tirés. Et j'enterre mon père à la sauvette. Je ne suis pas sûre de ce que je mérite. Est-ce que l'amour est donné au mérite? Sommes-nous tous cordés sur une ligne imaginaire à se voir distribuer les bons sentiments selon notre valeur? Qui détermine ce que vaut l'autre? Pouvons-nous tricher? Changer de place? Voler celle d'un autre? Sommes-nous d'office à notre place? Selon quels critères l'amour est-il réparti?

– Pas trop court s'il te plaît…

J'ai besoin de stabilité lorsque je me sens émotivement fragile. Nous avons beaucoup parlé, Manuel et moi, et il a dû couper pas mal de cheveux pour terminer la conversation. Ce n'est pas que je sois moins jolie qu'en rentrant au salon, c'est juste que je ne suis plus la même.

– Je suis *gay* et je te trouve belle, imagine…

J'espère que Pierre sera d'accord avec lui.

– Le chat!

Le concierge a essayé de refermer la porte en me voyant. J'ai coincé mon pied dans l'embrasure, comme dans les films. À la suggestion de Florence, j'enquête. Les policiers se comportent comme ça, avec arrogance et assurance. En plus, ma nouvelle coupe de cheveux m'a mise sur les nerfs, juste ce qu'il faut pour emmerder quelqu'un d'autre.

– Quoi le chat? Vous l'avez emporté.

Je suis déjà à court de répartie. Il me semble que c'est habituellement à ce moment-là que les enquêteurs entrent dans l'appartement du coupable et mettent la main sur la preuve. Mais la preuve, je l'ai récupérée. Je suis venue chercher quelque chose d'autre, j'ignore quoi.

– Qu'est-ce que mon père faisait avec un chat?

Tout à coup, je saisis le ridicule de la situation. Je garde tout de même mon air autoritaire quelques secondes de plus, en une ultime tentative de sauver la face. Puis je le remercie sans trop savoir pourquoi avant de m'excuser. Le concierge me regarde me faufiler dans le corridor. J'opte pour l'escalier de secours, question de disparaître le plus rapidement possible.

Il est passé neuf heures quand je m'installe pour manger un morceau de tilapia. Bryan Ferry m'interpelle. « *Love me or leave me* », qu'il dit. La chanson fait deux minutes quarante-quatre. C'est un très joli chiffre. Un deux suivi d'une suite de quatre, lequel nombre correspond au premier chiffre multiplié par lui-même, puis répété à deux reprises.

La plupart des chansons que j'aime ont de beaux chiffres. *Quien sera* d'Arielle Dombasle fait également deux minutes quarante-quatre, et sa pièce *Quizas, Quizas, Quizas*, deux minutes quarante-deux. La séquence de chiffres diffère quelque peu, mais elle demeure intéressante. *Imagination* de Chet Baker dure quatre minutes cinquante-quatre, et *I'm your Man* de Leonard Cohen, quatre minutes vingt-quatre. Agnès Jaoui chante *Pa'ti* en quatre minutes trente-cinq, le début d'une suite au poker dans le désordre. Elle interprète *Historia de un amor* en deux minutes cinquante-huit, ce qui fait de cette chanson la seule que j'aime dont les chiffres ne témoignent d'aucune harmonie. Luz Casal chante la même en trois minutes quarante-cinq, ce qui donne une version beaucoup plus intéressante en numérologie.

Je calcule aussi lorsque je monte et descends les escaliers. Il faut compter dix marches pour descendre au sous-sol de ma boutique et onze à la cave chez moi. Il y a trois marches entre le trottoir et le porche de ma maison, seize entre le rez-de-chaussée et l'étage. L'escalier chez mon frère a sept marches à l'extérieur et douze à l'intérieur. Celui de

Florence, huit. Bouchard habitait au troisième étage d'un immeuble résidentiel. J'ai compté trente-six marches pour y accéder, dont sept brisées. Je sais que certaines personnes présentent des troubles obsessionnels qui se traduisent par des gestes compulsifs. Ce n'est pas mon cas. J'utilise les chiffres simplement comme points de repère.

Ainsi, en numérologie, mon nombre d'expression est le six. Ce chiffre représente la synthèse de mon prénom, de mon nom et de ma date de naissance. Il définit, paraît-il, ma nature profondément affective et émotionnelle, mon sens de l'équilibre et des responsabilités.

Il semble que ce soit à cause de ce nombre six que je suis passionnée par l'art. C'est aussi par sa faute que j'ai tendance à culpabiliser et à me créer des obligations. C'est probablement pour ça que j'ai pris en charge les obsèques de Bouchard.

Ma mère était un *sept*. Romain est un *deux*. Gabriel et Bouchard partagent le chiffre neuf tandis que Florence et Pierre sont des *trois*. Ces nombres me servent à faire des recoupements, à analyser les personnalités et à tirer des conclusions qui m'aident à prendre les bonnes décisions. Ainsi, jamais plus je n'aurai un *neuf* dans ma vie, ni comme ami ni comme amoureux, ni comme coiffeur. Manuel est un *un*.

Dès que quelqu'un m'intéresse un tant soit peu, je m'enquiers de sa date de naissance et le passe dans mon boulier. J'utilise la numérologie comme les navigateurs le sextant, pour déterminer ma position dans l'espace, situer les corps célestes qui gravitent autour de moi et surtout éviter les collisions cosmiques.

Le poisson est parfaitement cuit. Il me suffit d'enfoncer la lame d'un couteau dans la chair sans forcer pour le savoir.

Pour ce faire, j'utilise toujours celui de Gabriel. Il me l'a offert pour mes trente ans. Quelques mois avant notre séparation. J'ai été franchement surprise en ouvrant la boîte. J'ai d'abord pensé qu'il avait fait erreur.

– C'est l'œuvre d'un artiste. Il transforme la matière, tout comme toi.

Je ne voyais que la lame. Son tranchant. Des images se sont mises à défiler dans ma tête. J'ai d'abord imaginé un homme maîtrisant une femme par-derrière, un couteau appuyé sur sa gorge. Puis je me suis souvenue d'un film où un Japonais humilié s'était fait hara-kiri. Et enfin, j'ai vu le poissonnier brandir son couteau, impatient de savoir s'il devait ou non couper la tête du saumon. Je déteste les couteaux. Tous sans exception. Gabriel le savait.

– Je voulais t'offrir un objet qui transcenderait le temps et témoignerait à nos enfants et aux enfants de nos enfants tout l'amour que j'ai pour toi, il avait dit.

J'avais aussitôt imaginé une ribambelle d'enfants jouant dans un salon aux boiseries imposantes et au tapis brodé de fleurs rouge et or. À qui pouvaient-ils bien tous appartenir ? Pas à nous, en tout cas. Cette image de famille bienheureuse et l'idée d'un amour éternel nous unissant étaient complètement étrangères à notre couple. Pour une fois, je ne l'avais pas cru.

Je regardais le couteau sans oser lever la tête. J'entendais la voix de Gabriel en sourdine. Il parlait d'ébène, d'acier, de prix exorbitant et d'enfants, toujours. Je l'imaginais s'emparer du couteau et sectionner les cordons ombilicaux de nos bébés mort-nés.

– Tu es contente ?

Nos regards s'étaient croisés. Il avait vu ce que je pensais de son cadeau. Il avait ramassé sa veste et était parti en claquant la porte. J'avais entendu cette porte se refermer avec violence tant de fois, je ne sursautais même plus. J'étais restée sur le fauteuil du salon, le couteau sur les cuisses, à attendre. Attendre quoi ? Je l'ignorais. Que Gabriel revienne et m'explique. Que le couteau se transforme en boucles d'oreille. De me réveiller et de raconter mon mauvais rêve à Gabriel qui aurait ri avec moi.

Je me suis finalement décidée à me faire à souper. C'était mon anniversaire après tout. Comme je n'avais pas très faim, j'ai coupé des tranches de fromage de chèvre que j'ai posées sur des morceaux de pain avant de les glisser dans le four. J'ai mangé en face de lui. Du couteau. J'imaginais la main de Gabriel dans son prolongement. « Joyeux anniversaire ! », lui ai-je lancé en faisant tinter mon verre de vin sur sa lame. Comme à chacun de mes anniversaires, j'ai écouté Louis Armstrong chanter *What a wonderful world*. Avant d'aller me coucher, j'ai caché le couteau là où Gabriel ne le chercherait pas, avec mes serviettes hygiéniques. Je le détestais mais il était hors de question qu'il le reprenne.

Gabriel était revenu tard dans la nuit. Iris et moi avions déjà accaparé une bonne partie du lit. Il s'était couché de l'autre côté, le plus loin possible de nous deux. Même à cette distance, je pouvais sentir son haleine d'ail et de bière. J'étais restée immobile, simulant le sommeil. Iris avait été moins discret. Il tournait sur lui-même à la recherche du meilleur endroit où se réinstaller. Je l'avais entendu miauler et fuir à toute allure par l'entrebâillement de la porte. Gabriel lui avait tiré la queue. C'était une de ses habitudes. J'aurais dû intervenir. Prendre la défense d'Iris. Je ne l'avais pas fait. Je savais par expérience que si je m'interposais, la mire changerait de direction et je deviendrais sa cible.

Le lendemain matin, j'étais partie plus tôt, avant même que Gabriel ne se réveille. En fait, c'était à son tour de faire semblant de dormir. Il avait soigneusement placé ses pantalons sur le dossier d'une chaise dans la cuisine. Je les ai fait tomber par inadvertance. Iris qui passait par là s'y est installé pour faire sa toilette. Lorsque je suis rentrée ce soir-là, nous avions parlé d'autres choses et plus jamais du couteau. C'était le deuxième cadeau le plus moche que j'avais reçu dans ma vie, après les pantoufles en Phentex bleu de Bouchard.

Gabriel a voulu le récupérer quand il m'a quittée : « Tu ne l'as jamais aimé. » J'ai refusé catégoriquement. Il était hors de question qu'il parte avec l'arme du crime. Lorsque j'ai pris la dernière serviette dans la boîte, Gabriel était déjà parti. J'ai sorti le couteau de son étui de velours pour le mettre à sa place avec les autres ustensiles.

J'avais décidé de le mettre au boulot. Je l'utilisais pour couper les légumes mais aussi pour travailler dans le jardin, faire de menus travaux dans la maison. Une fois, je m'en suis servi pour dégager un clou resté coincé dans la peinture. La pointe de la lame n'a pas résisté.

Un jour, j'ai raconté à Florence combien je me plaisais à le détruire. Elle m'a dit que j'avais anthropomorphisé l'arme. Je ne comprenais pas à quoi elle faisait référence. De toute façon, je ne savais pas ce que ce mot voulait dire exactement. Elle m'a expliqué que j'avais donné une dimension humaine au couteau. J'en avais fait mon compagnon de vie avec lequel j'avais établi une relation malsaine. Il me blessait et je le lui faisais payer cher. Pour un peu, j'aurais cru entendre ma psychologue.

En rentrant chez moi ce soir-là j'ai balancé le couteau dans la poubelle. Une fois au lit, j'ai revu sa lame en mémoire. Elle brillait comme un éclair perce un ciel orageux. J'ai pensé que son poids devait avoir entraîné le couteau au fond du sac. Il moisissait entre les restants de morue, le persil flétri et les épluchures de patates. J'ai aussitôt imaginé un client jetant à la rue un de mes abat-jour. Il se tenait en équilibre sur le dessus d'une poubelle. Trop large pour s'y glisser. Trop robuste pour être écrasé. Je me suis levée pour le récupérer. Le lendemain matin, j'ai cherché les coordonnées de l'artiste dont le nom figurait sur la lame. Une femme m'a répondu. J'ai demandé à parler à Claude.

– C'est moi.

J'ai précisé. « L'artiste qui fabrique les couteaux. » Elle a répété : « C'est moi. » J'ai mentionné Gabriel. Elle m'a raconté l'histoire. Le couteau, c'était un cadeau pour lui. Gabriel venait de lui annoncer qu'il me quittait. Une coupure. Un couteau. Le geste lui avait semblé aller de soi. Mais l'arme s'était retournée contre elle. Gabriel avait mis fin à leur relation lorsqu'il avait appris qu'elle était enceinte. Mon anniversaire avait suivi de près. J'avais reçu le couteau de la rupture en cadeau. Claude avait perdu le bébé. Puis Gabriel m'avait quittée. Il ne restait que lui, le couteau. Elle n'en voulait pas, pas plus que moi.

– Jette-le, elle a dit.

J'ai nettoyé le couteau et suis allée le remettre avec les serviettes hygiéniques.

Je suis surprise de sentir la maison aussi silencieuse ce soir. Florence devait me confirmer que nous allions courir demain matin. J'espérais, sans trop y croire, que le notaire m'aurait rappelée. Soudain, je me souviens que j'ai éteint mon cellulaire en fin de journée. La pile était à plat.

Florence m'a laissé un message. Elle me confirme notre rendez-vous matinal à l'entrée du parc La Fontaine. Le deuxième message est d'Olivier. La maison a appartenu à mes grands-parents paternels. Ils en ont pris possession en 1950 avant de la revendre en 1955. De beaux chiffres, j'ai pensé. Le dernier message est de Magnus Poirier : le corps sera transféré chez eux demain dans la matinée et la crémation se fera dans l'après-midi.

J'ai tenté en vain d'enquêter sur le chat. En fait, la seule information intéressante en ce qui le concerne est venue de l'intérieur. Pantoufle ne ronronne pas. Je n'avais pas remarqué ce détail jusqu'au moment où je l'ai pris dans mes bras. D'habitude, la simple chaleur de mon corps déclenche le moteur à ronron d'Éos.

Malgré maintes caresses sous la gorge, Pantoufle est resté silencieux. Alors j'ai pris la chose au sérieux. Je l'ai flatté derrière les oreilles. Sous le ventre. Sur le dos. Et encore dans le cou. Toujours rien. Je lui ai laissé un peu de répit avant de recommencer. Silence total. J'ai composé le numéro du vétérinaire. Je voulais savoir s'il était possible qu'un chat ne ronronne pas. La peur du ridicule m'a incitée à raccrocher à la troisième sonnerie.

Nous faisons le tour de l'appartement ensemble. Selon moi, les divisions sont les mêmes qu'il y a cinquante ans, sauf qu'il devait y avoir un voisin à l'étage avant que le duplex soit converti en résidence unifamiliale. Bouchard devait dormir dans la petite pièce en avant. La chambre de ses parents était probablement la mienne. Le lit devait être placé dans le même angle puisqu'il est impossible d'installer un lit double autrement.

Bouchard devait faire des gestes identiques aux miens pour se glisser dans la baignoire. Je l'imagine poser la main sur l'émail froid de la fonte. Lever la jambe bien haut et basculer de l'autre côté pour aller se caler tout au fond. Il a dû regarder la neige tomber par la fenêtre de la cuisine. Jouer dans la cour. Y construire des forts. Je le vois courir le long du corridor qui fait office de colonne vertébrale à cet appartement centenaire. S'il était aussi peureux que moi, il devait descendre l'escalier menant au sous-sol en guettant la présence de monstres.

Je n'aime pas vraiment courir. Je préfère le travail patient et régulier de la marcheuse à l'enjambée rapide de la sprinteuse. Mais à la différence de la marche, courir m'empêche de penser. Même si je le pratique depuis mon enfance, l'effort requis pour avancer au pas de course est si peu naturel pour moi que je dois y consacrer toute mon attention. Déjà au départ, je manque de motivation. Je me dis que je *dois* aller courir, alors que pour la marche, je me dis que je *vais* marcher.

Dès les premières foulées je souffre. J'argumente régulièrement avec Florence à ce sujet. Je lui dis qu'à travers les époques, les hommes ont surtout couru pour sauver leur peau. Le chasseur courait pour capturer le gibier. Le gibier pour ne pas être transformé en grillade. Les policiers pour arrêter les méchants. Les bandits pour éviter de finir en taule. Les salariés pour attraper l'autobus et garder leur emploi.

Je crois fermement que les joggeurs modernes courent encore pour sauver leur vie, mais à un niveau plus abstrait. Pour évacuer le stress d'un travail trop exigeant, fuir les frustrations d'une relation houleuse ou échapper à un passé mal assumé. Ainsi, lorsque je croise des coureurs, surtout dans des conditions extrêmes comme sous une pluie glaciale d'automne ou par un froid sibérien, je me demande toujours de quoi est faite leur souffrance. Et automatiquement, je me pose la même question à mon propre sujet.

Moins d'une heure avant l'arrivée de Pierre, je prends une douche, me lave les cheveux et les replace en essayant de me redonner mon allure, celle d'avant-hier. Je retiens mon envie de pleurer. Je trouve ridicule d'accorder autant d'importance à mon apparence physique. Je le fais remarquer à toutes les filles qui angoissent à propos de leur tête. « Il y a du monde qui meurt de faim, et toi tu fais toute une histoire pour quelques centimètres de cheveux. » Je me sens moins crédible ce matin avec mon discours moralisateur. Je presse le bouton fermoir de mon jean alors que la sonnette se fait entendre.

— C'est joli tes cheveux.

Pierre est lui aussi passé chez le coiffeur. Habituellement je déteste ces changements de physionomie qu'entraînent les coupes de cheveux. Mais cette fois je dois dire que le résultat est convaincant. Il ne fait pas de commentaire sur ma tête. Je conclus que pour ma part, c'est raté.

— Qu'est-ce que c'est ?

— Une goutte de lait.

— Et ça ?

— Les plis d'un abat-jour.

— Et là ?

— Le détail d'une murale.

— Est-ce que tu prends toujours tes photos de près ?

— Presque.

— …

— Lorsque je regarde les objets dans leur entièreté, je les trouve rarement beaux. Alors je cherche le détail qui pourrait me séduire. Je découvre généralement le beau dans le petit. Les racines d'un arbre. Un coup de pinceau dans une toile. La courbe d'une rampe ouvragée.

Je n'ose pas lui dire que c'est aussi ma manière de composer avec mon absence d'amour spontané pour les gens. Je cherche dans les personnes ce petit quelque chose de sympathique auquel je peux m'accrocher et qui pourrait servir de base à une relation. J'aime Florence parce qu'elle croit dur comme fer que tous les humains sont fondamentalement bons, affirmation qui m'emplit de doutes. J'aime Léa parce qu'elle utilise le sarcasme lorsqu'elle parle d'amour, et ses railleries trouvent écho en moi. Madame Dubois, elle, c'est parce qu'elle tente désespérément de créer des liens en prétendant qu'elle n'a besoin de personne.

Si j'expliquais à Pierre comment je m'y prends pour apprivoiser l'autre, il voudrait savoir si j'ai déjà identifié ce petit quelque chose en lui. Et comme une bobine de fil qui tombe par terre et se déroule, il voudrait ensuite en apprendre davantage. Je ne suis pas encore prête pour ce genre de discussion, je suis toujours au niveau des grands ensembles avec lui, même si je connais déjà le petit quelque chose qui lui a ouvert la porte de mon cœur.

Pierre a aperçu sur mon écran d'ordinateur mes photos que je suis en train de classer. Je n'ai rien d'une photographe. Mais parfois, lorsque je pars courir, j'apporte mon appareil. Autrefois, il m'arrivait souvent de traverser de beaux paysages et je regrettais de ne pouvoir en conserver un souvenir. Chaque fois, j'avais la sensation de perdre quelque chose, qu'un cadeau m'était donné et aussitôt retiré.

Un jour où je passais devant un magasin d'électronique, j'ai remarqué un très petit appareil photo dans la devanture.

Je suis entrée, la tête pleine de questions. Le vendeur était occupé à envoyer des textos. J'ai pointé l'appareil du doigt. Il l'a sorti de sous le comptoir et l'a mis dessus. J'ai posé une question à laquelle il n'a pas répondu. Je lui ai donné ma carte de crédit qu'il a glissée dans la fente de sa machine en surveillant l'écran de son cellulaire. J'ai mis l'appareil, la garantie et le livret d'instructions dans ma poche et je suis sortie. Depuis ce jour-là, je me balade avec lui comme avec un nouvel ami qui partage mes émerveillements.

Au début, je photographiais les grands espaces. Le parc au coucher du soleil. Le parc avec du verglas sur les arbres. Le parc avec ses feuilles d'automne. Le parc après la pluie. Ensuite, lorsque je regardais mes photos, j'avais l'impression de ne rien retrouver de ce qui m'avait touchée. C'est alors que j'ai commencé à m'intéresser aux ensembles de plus en plus petits. Un rayon de soleil sur un tronc d'arbre. Des trèfles coincés entre deux roches. Une goutte de pluie sur la carapace d'une coccinelle. C'est ainsi que j'en suis venue à voir le beau dans le détail des choses.

Depuis un certain temps, je fais des séries. J'ai produit quelques photos sur le thème *Prenez place!* Il s'agit de clichés de bancs de parc déserts. Une autre série, *Viser juste*, témoigne de la géométrie de la ville, la répétition dans l'architecture ou l'ordonnancement des choses, des lampadaires, des arbres, des rues. Une troisième série, *Où aller?*, regroupe des panneaux de signalisation, petits et grands, qui nous indiquent où tourner, où fumer, où se restaurer, où traverser.

Dimanche dernier j'avais envie de marcher. Je suis partie avec mon appareil photo. Mai, le mois de Marie. Je vais photographier les premières fleurs de la saison, je me suis dit. Une maison sur la rue Saint-Hubert a attiré mon attention, une magnifique propriété datant du début du siècle. Toutes les ouvertures avaient été placardées. Une maison de briques aux yeux de bois. Ça m'a donné l'idée d'une nouvelle série, *Abandonnée*.

J'ai sorti mon appareil et j'ai pris trois photos de la porte d'entrée. J'en fais toujours au moins trois pour être sûre d'en avoir au moins une bonne. Je venais de franchir le premier pas d'une promenade qui pourrait s'avérer longue. Quand je pars ainsi avec l'idée de faire des photos, c'est que j'ai du temps devant moi, sinon, je n'apporte pas mon appareil. Si en marchant j'ai une illumination, c'est-à-dire qu'un sujet pour une nouvelle série s'impose à moi, je consacre les efforts nécessaires pour la mener à bien, je me promène tant et aussi longtemps que je n'ai pas cinq photos signifiantes.

C'est la première règle que je me suis imposée dans ma façon de jouer avec la photographie. J'ai déterminé de façon aléatoire que cinq photos constituent une série. J'aime les nombres impairs et je trouve que trois c'est peu et sept, trop. Alors, un jour, je me suis dit que cinq photos faisaient une série.

Vient ensuite la dimension significative. Je ne peux pas accepter de photos par dépit dans mes séries. C'est-à-dire qu'un ventre creux, des crampes aux cuisses, la pluie qui me surprend ne sont pas des excuses valables pour accepter un faux positif. Idéalement, une série se fait d'un seul coup, en un jour, au cours d'une même promenade. Je me dis que trouver cinq idées de photos originales sur un thème donné, c'est faisable.

Ce matin-là, tout s'est déroulé au-delà de mes espérances. En deux heures j'avais mes photos. Il y a eu ce premier cliché de la maison. Puis, sur l'avenue Mont-Royal, j'ai aperçu un vélo abandonné. Des voleurs l'avaient dépouillé de tout ce qui avait naguère fait de lui un vélo. Il ne restait que le cadre de métal retenu à un poteau par un cadenas rouillé, la roue de plateau dentée et la chaîne qui pendouillait. J'ai pris une photo des maillons de la chaîne, trois en fait.

Plus loin, devant une maison habitée, j'ai découvert un jardin. Les feuilles d'automne qui n'avaient pas été ramassées formaient un tapis brunâtre et gélatineux. Il y avait plusieurs arbustes morts, leurs branches dessinaient des formes circulaires, on aurait dit des os blanchis. Des pots à fleurs de mauvaise qualité traînaient ici et là. La clôture avait besoin d'être repeinte. J'ai pris ma troisième photo.

En marchant sur la rue Saint-Denis, j'ai vu un soulier de course par terre. J'ai fait le geste de sortir mon appareil puis je me suis ravisée. La chaussure n'avait pas été abandonnée, on l'avait jetée. C'est la différence entre se débarrasser de quelque chose et ne plus prodiguer de soins à quelqu'un. C'était un faux positif. J'ai passé mon chemin.

Un enfant pleurait à chaudes larmes sur le trottoir. Je n'en croyais pas mes yeux. Quelle chance, me suis-je dit. Il était tellement beau et émouvant, le visage baigné de larmes. Je savais bien qu'un parent ne devait pas être loin. En fait, j'ai presque aussitôt entendu sa mère crier : « Mais où étais-tu passé ? » J'avais heureusement eu le temps de faire une photo avant qu'elle lui mette le grappin dessus. Comme je trouvais qu'il fallait un certain culot pour photographier un enfant en détresse, j'avais fait semblant de photographier le chien, à côté de lui, qui était probablement responsable de la scène.

Par la suite, j'ai hésité à conclure que cette photo était recevable dans ma série, puisqu'il ne s'agissait pas d'une réelle situation d'abandon. Je l'ai incluse par respect pour l'enfant, parce que peu importe s'il s'agissait ou non d'une réelle situation d'abandon, lui, il s'était senti abandonné. Il méritait de faire partie de ma collection.

La dernière photo, je l'ai faite dans le parc La Fontaine. J'étais assise sur un banc à profiter du soleil lorsque l'idée m'est venue. J'ai pris mon appareil, j'ai mis l'objectif devant mon visage et j'ai appuyé trois fois. J'avais mes cinq photos.

J'ai presque eu le courage de demander à Pierre si je pouvais prendre une photo de lui. Je l'aurais mise dans ma nouvelle collection intitulée *Apparaître*. Ce matin, j'ai photographié mon premier cheveu blanc. Je me brossais les cheveux lorsqu'un long trait plus pâle m'a prise par surprise. J'ai isolé l'intrus pour constater qu'un colonisateur venait de s'installer sur mon territoire capillaire. J'ai aussitôt pensé à ma mère et j'ai conclu que je commençais à vieillir à mon tour. J'ai sorti mon appareil, je l'ai approché de ma tête en me guidant dans le miroir et j'ai cliqué.

La première photo de cette série est un crocus. Je l'ai capturé un matin alors qu'il tentait de résister à l'assaut glacial de la neige qui l'avait recouvert pendant la nuit. *Apparaître* contient également un cliché de la première fissure qui s'est formée à la suite des travaux de redressement. Comme j'avais déjà demandé à Pierre sa date de naissance pour l'analyser avec mon boulier, je n'ai pas osé lui réclamer une photo en plus. Peut-être plus tard, s'il fait vraiment partie de ma vie. De toute façon, il n'y a pas d'urgence, cette série est de celles qui traînent en longueur. J'aime contrevenir aux règles que je m'impose.

– J'ai acheté la maison de mon père.

Pierre a écouté en silence mon histoire en mangeant une tranche de pain aux canneberges que j'ai cuisiné hier soir en écoutant Rod Stewart. Rod voulait rejoindre la Lune. Il parlait d'étoiles. De se tenir par la main. De baisers. « *Fly me to the moon* », hurlait-il dans ma cuisine. « *Let me play among the stars. In other words, hold my hand. In other words, baby, kiss me.* » J'ai écouté la chanson au moins deux mille fois. Assez, en tout cas, pour ne plus l'entendre. Rompue par le désir d'être aimée, je suis allée me coucher.

La bouche pleine de pain qu'il mastique avec élégance, Pierre semble digérer les origines troubles de ma maison.

– T'es chanceuse, dit-il. Il y a des gens qui cherchent toute leur vie un indice pouvant les mettre sur la piste de leur passé. Toi, tu viens d'hériter d'une maison au complet. Toutes les maisons sont hantées. Elles sont habitées par l'amour et l'espoir des personnes qui y ont vécu. Les espaces qu'on achète sont comme des dessins d'enfants. Ils disent qui on est. Nos maisons sont notre seconde peau. C'est pour ça que je les aime tant, parce qu'elles parlent.

– As-tu parlé avec Florence ?

– Je ne connais pas Florence.

– Vous êtes aussi bizarres l'un que l'autre...

Et je me suis souvenue que tous deux, ils étaient des *trois*.

C'est le dernier matin avec Pierre. Les travaux sont terminés. Il n'aura plus de raison officielle de me téléphoner ni de venir sonner chez moi. Je lui ai fait un chèque pour le solde des coûts. Il ne l'a même pas regardé. Il l'a simplement plié en deux et glissé dans la poche arrière de son jean.

– As-tu toujours envie que je répare tes fissures ?

Nous avons pris rendez-vous pour dimanche matin.

– En passant, toi aussi, c'est joli tes cheveux, qu'il dit en posant un baiser sur ma joue.

J'ai à peine eu le temps de saisir ce qui venait de se passer que Pierre descendait déjà les marches de l'escalier et se dirigeait vers son camion. J'aime sa manière d'avancer dans la vie. Ses jambes sont à la fois droites et souples. Il se déplace avec assurance mais tout en douceur. Je n'aime pas les démarches nonchalantes ni les sautillantes. J'ai des réserves quant aux allures altières et aux jambes raides. À toutes les enjambées, je préfère celles qui vont droit au but avec une confiance mesurée.

J'ai surpris le regard de ma voisine qui m'a surprise, à son tour, à épier Pierre. Elle me salue de la main. C'est la première fois qu'elle ne se cache pas derrière son rideau. Elle nous croit complices. Je lui renvoie la politesse. Elle répète le geste comme un enfant content d'avoir été remarqué. Je lui envoie la main à nouveau avant de refermer la porte. J'ai envie d'écarter le rideau pour vérifier si elle est toujours à sa fenêtre. Je me retiens mais je ne peux m'empêcher de tenter d'apercevoir sa silhouette à travers le rideau. C'est Pierre que je surprends. Il passe devant chez moi au ralenti dans son atelier ambulant. Je ne veux plus le voir partir sans savoir s'il va revenir.

La nuit dernière, j'ai décidé de répondre à la lettre de Gabriel. J'ai commencé par lui décrire la peine que son départ m'a infligée. Les dommages collatéraux qu'il a provoqués. Ma difficulté à me remettre en selle. Le compteur du traitement de texte indiquait quatre cent quarante-quatre mots, une suite magnifique et inespérée, mais numériquement disproportionnée par rapport aux soixante-treize mots qu'il avait jetés sur papier pour tenter de me reconquérir. Ma peine était plus loquace que son désir d'être avec moi.

J'ai imprimé mon texte pour le relire. Il était incisif, impitoyable, voire violent. Mes propres mots m'atteignaient, me faisaient peur. Je me rendais compte à quel point cette relation m'avait fait mal. Tout était là. Bien écrit. Efficace. Mais l'essentiel n'avait pas été dit. J'ai fait une boule avec la feuille, je l'ai lancée aux chats qui l'ont ignorée. Rien de surprenant, Éos déteste ça quand je lui balance mes problèmes par la tête. Dans ses entreprises de séduction, Pantoufle est solidaire de toutes ses décisions. Ils ont quitté la pièce ensemble, en peloton serré. Je les ai regardés partir en me disant que c'était exactement cela qui nous avait fait défaut à tous les deux, Gabriel et moi, la solidarité.

Lorsqu'une nouvelle page blanche a surgi devant moi, mon cauchemar de la toilette m'est revenu à l'esprit, comme un renvoi d'évier bouché laisse remonter des odeurs nauséabondes à la surface. Je me suis souvenue d'une remarque de Florence.

– Tu te sers de ta colère pour être plus forte. C'est à cause de cette colère que t'es cynique quand il s'agit d'amour. T'as peur de perdre avant même d'ouvrir la bouche.

Elle avait aussi dit quelque chose à propos du pardon. Elle m'avait lancé une de ses réflexions métaphysiques confirmant que son âme ne date pas de la même époque que la mienne. Dans ces moments-là, je fais comme ma chatte. Je dresse les oreilles pour mieux capter les sons et je fais à ma tête. Florence croit que tout peut se pardonner si on arrive à comprendre. Le plus difficile est de commencer, terminer peut être l'affaire d'une vie, croit-elle.

– Je sais pas si je veux lui pardonner, j'avais dit.

Huit cent trente-six mots. J'ai plongé au plus profond de moi-même pour dégager les couches sédimentaires de la rancœur, comme on enlève des boîtes obstruant une sortie de secours. Pendant des heures, figée dans la lumière de mon écran telle une biche devant les phares d'une voiture, j'avais écrit, réécrit, revu et corrigé notre histoire.

Tout n'était pas de sa faute. Je m'étais accrochée à lui comme une fillette à la main de son parent. Je l'avais suivi en lui faisant croire que je n'attendais rien de lui. En fait, j'attendais tout. Je voulais qu'il m'aime, qu'il prenne le risque de m'aimer. Je l'avais emmené au bord du précipice et lui avais demandé de me faire confiance. Il avait vu le vide sur l'autre rive, là où je ne serais peut-être plus un jour, et il était parti. C'est ce que j'avais à lui pardonner. De n'avoir pas pris le risque de m'aimer.

Il faisait presque jour lorsque j'ai finalement éteint l'ordinateur. J'ai relu ma lettre pour constater qu'elle s'adressait davantage à moi qu'à Gabriel. J'ai plié la feuille en quatre et l'ai rangée dans le tiroir de mon bureau avant de m'allonger sur mon lit avec les chats. Au réveil, j'ai pris le couteau, je l'ai emballé dans du papier journal avant de le glisser dans une enveloppe à bulles. J'ai écrit l'adresse de Gabriel sur le paquet et je suis allée le poster au pas de course. Ainsi, les mots étaient superflus.

Le temps de revenir à la maison et de passer à travers les différentes étapes de ma routine, il était dix heures quinze lorsque je suis sortie de chez moi. J'étais en retard. En descendant l'escalier, j'ai aperçu du mouvement en face. Ma voisine se tenait sur un petit escabeau de cuisine, en équilibre sur le bout d'un pied, les mains en l'air, agrippée à un fanal qui pendait du plafond de sa galerie. Une ballerine, j'ai aussitôt pensé, et tout de suite après, elle va se tuer.

– Laissez-moi vous aider.

Je l'ai regardée descendre de l'escabeau en prenant appui sur le jambage de la porte, puis la brique, cherchant du pied la prochaine marche mais ignorant le bras qui lui était tendu. Fragile mais fière, je me suis dit. Je me demande quel genre de femme aurait été ma mère si elle n'était pas morte aussi jeune. Elle aurait eu cinquante-quatre ans cette année. À cet âge, la plupart des personnes démontrent des signes externes de vieillissement mais se sentent toujours jeunes à l'intérieur. Ma mère était déjà vieille, tout simplement.

Fatiguée. Désabusée. Elle était peu intéressée aux choses de la vie. Elle ne croyait plus en rien et avait cessé d'espérer.

Comme tout le monde, elle avait connu des revers et comme peu de gens, elle avait démissionné très tôt. Elle n'avait tout simplement pas l'énergie ni la volonté de mener les batailles successives que le quotidien lui imposait. Il y a ceux qui aiment se baigner dans la mer, attendre la prochaine vague, s'y jeter et rebondir. Pas ma mère. À ces moments de hardiesse, elle préférait la retenue de ceux qui se laissent caresser les pieds par le mouvement des vaguelettes.

Je garde d'elle l'image d'une femme qui se recroquevillait de plus en plus, au risque de se retrouver un jour dans la position fœtale d'origine. Je pense qu'elle considérait ce retour en arrière comme un tremplin pour aller de l'avant. Et l'avant c'était une autre forme de vie. Les années ne l'avaient pas réconciliée avec Dieu, mais elle défendait l'idée que la vie était une énergie renouvelable. Elle m'en faisait la remarque en regardant les oiseaux. Elle enviait aussi la liberté des poissons. Je lui souhaite de tout cœur de s'être transformée en une espèce animale qui connaît la paix. Elle le mérite. En attendant, elle me manque chaque jour dans cette vie bien réelle sur la terre.

– C'était mon mari qui faisait ces travaux… il est mort il y a deux ans… le médecin lui avait dit de cesser de fumer… il répondait qu'il allait mourir de toute façon… et c'est ce qui lui est arrivé… plus tôt que tard…

Le temps que je retourne chez moi chercher une ampoule et une pince, une tasse de café avait été déposée sur le bras du balcon. Ça sentait le café réchauffé. À l'odeur aussi, j'estimais à deux cuillérées à thé combles la quantité de sucre qu'elle y avait ajouté. J'ai pris une première gorgée en m'efforçant de sourire. J'ai bu le reste d'un trait comme un enfant qui se débarrasse d'un remède amer. Elle m'a regardée faire avec une telle tendresse dans les yeux, un regard qui n'appartient qu'aux vieux, j'ai pensé. Lorsqu'ils doutent qu'ils puissent encore apporter quelque chose et découvrent que, oui, ils ont encore à donner.

J'ai changé l'ampoule et je suis partie presque en courant pour rattraper le temps perdu. Je me suis demandé en marchant quel était ce petit quelque chose qui me rendait cette dame aussi sympathique, et je n'ai pas trouvé.

Il était presque onze heures lorsque je suis arrivée à la boutique. Un client faisait le pied de grue devant ma porte. S'il y avait un client que je n'avais pas envie de voir ce matin-là, c'était bien lui, monsieur Fiset, l'homme à l'abat-jour de métal. Il affichait un sourire confiant dont j'assumais entièrement la responsabilité. J'avais crié victoire trop tôt. J'étais emballée lorsque je lui avais confié avoir trouvé une solution pour son abat-jour, mais c'était avant de constater que le papier de riz avait rétréci en séchant. Comme un jupon qui dépasserait d'une robe, on pouvait apercevoir le métal si on regardait par dessous.

Si un de ses invités laissait tomber un canapé sur le plancher un soir de fête et qu'en se penchant pour le ramasser, il laissait son regard glisser sous la structure, il remarquerait le gris du métal. De même, si sa copine roulait des yeux en faisant l'amour avec lui sur son tapis, elle verrait l'imperfection. Le scénario du pire restait celui de sa mère qui, épatée devant la créativité dont il avait fallu témoigner pour habiller cette vieille carcasse de lampe, la soulèverait et remarquerait le défaut.

Pour madame Dubois, c'est le genre de faute punissable d'une peine d'emprisonnement à vie. Pour mon frère, étranger à toute considération esthétique et qui juge futile tout débat à l'exception de ceux touchant la protection des enfants, ce serait la réaction négative de mes clients qu'il condamnerait. Pour Léa qui m'aime beaucoup, j'ai toujours raison même quand j'ai tort. Tout est question de point de vue et ce matin, je m'apprêtais à connaître celui de monsieur Fiset, analyste financier dans une grande société dont le nom, un acronyme formé majoritairement de voyelles, m'échappe.

Très tôt ma mère m'a enseigné à avouer mes fautes. Elle prétendait qu'il était plus difficile de blâmer quelqu'un qui reconnaissait ses torts, « c'est comme frapper une personne qui est déjà par terre. » Il ne me restait plus qu'à me jeter aux pieds de mon client.

— Il y a un problème.

Entendant ces mots dits sur ce ton, monsieur Fiset pouvait imaginer le pire. J'avais perdu l'abat-jour. Je l'avais écrasé sous mes pieds par accident. Il était tombé et était tout bosselé. J'espérais avoir fait naître à sa conscience des images cent fois plus terribles que la réalité. Dès que j'ai vu l'appréhension bien évidente dans ses yeux, j'ai déposé l'abat-jour sur le comptoir.

— Il est magnifique, a-t-il dit en cherchant l'imperfection.

C'était le moment choisi pour retourner l'abat-jour. Il a regardé la structure, incertain d'être mécontent. Il était coincé entre le rendu global qui dépassait ses attentes et la réalité imparfaite d'arrière-scène. L'écrin ou le diamant. J'attendais son verdict en silence.

— C'est parfait, il a fait. Il était manifestement content.

Il a quitté la boutique en tenant son abat-jour de la main droite et un sac de papier contenant deux ampoules dans la gauche. C'est ma manière à moi de remercier les clients qui apprécient mon travail. Je remets des cent watts aux plus méritants, des soixante à ceux que j'aime bien et des quarante watts à tous les autres qui me quémandent chichement des ampoules au moindre achat.

Je ne l'ai pas vu venir. Je n'ai rien ressenti. Je n'ai rien prémédité. J'ai tout simplement pris le récepteur et téléphoné à Pierre pour l'inviter à souper. Il a dit oui d'emblée. Promptement, comme si l'invitation pouvait disparaître aussitôt. J'étais embarrassée par autant d'empressement jusqu'à ce que je réalise que j'avais fait preuve du même enthousiasme en l'invitant. Ce « oui » bien senti m'a fait passer d'un état de tristesse latente à un état d'excitation généralisée.

Léa a accepté de fermer la boutique à ma place. De toute façon, le beau temps garde les clients sur le trottoir. Vendre de la lumière au printemps et en été pose des défis. La lumière naturelle étant si belle, la demande d'éclairage artificiel se fait rare, sauf quand il pleut. Après quelques jours de mauvais temps, les locataires d'appartements mal éclairés sortent de terre comme des vers sous l'ondée. Certains d'entre eux viennent à ma boutique à la recherche d'une solution à leur sombre réalité. C'est généralement avec gêne qu'ils nomment ces espaces obscurs, comme s'ils avouaient une faute ou racontaient leur misère.

En fait, ils ont presque raison. La lumière appartient aux riches. Ce sont eux qui ont les moyens d'acquérir de vastes demeures aux larges fenêtres sur de grands terrains qui bordent le fleuve et que le soleil baigne du matin au soir. Ils travaillent dans des bureaux tout en haut des gratte-ciels d'où ils peuvent suivre la course de l'astre du jour. L'hiver, ils vont à la rencontre du soleil dans les îles du Sud et l'été, ils admirent ses reflets sur le lac, à bord de leur voilier.

Ceux qui appartiennent à la classe moyenne se cherchent une maison confortable dans un quartier correct en scrutant les sources de lumière et en les souhaitant nombreuses. Ils occupent des postes de cadres intermédiaires dans de grandes sociétés qui leur offrent des espaces de travail au centre des étages. Pour voir la lumière, ils doivent sortir à l'heure du lunch, s'ils en ont le temps. Ils passent leurs vacances au Québec en se croisant les doigts pour qu'il fasse beau. Un hiver sur cinq, ils se paient un *tout inclus* dans une destination populaire avec ou sans enfants, en alternance.

Les pauvres habitent là où leur maigre budget le leur permet, et la lumière est un luxe auquel ils n'ont pas droit. Les deux conjoints travaillent en usine, partent avant le lever du jour et reviennent à la tombée de la nuit. L'idée qu'ils pourraient occuper un bureau avec fenêtres ne leur a jamais traversé l'esprit. Ils s'arrêtent deux semaines l'été et l'asphalte surchauffé les empêche de bien respirer. L'hiver, ils racontent à leurs enfants que dans certains pays, le soleil brille à longueur d'année.

La lumière est une affaire de petits bourgeois et de bien nantis. Je le sais, je ne fais que cela, vendre de la lumière à des petits bourgeois et des bien nantis.

La solution au problème d'éclairage de la classe moyenne est la lampe Cadillac, comme je l'ai ironiquement baptisée. Sa structure est immense et comporte un globe de verre blanc qui diffuse la lumière et sur lequel je fixe un abat-jour. Cette lampe a un potentiel de six cents watts. Elle constitue une béquille acceptable à un handicap environnemental. La seule difficulté est que les gens qui n'ont pas les moyens de se payer des appartements lumineux n'ont pas, non plus, les moyens de s'offrir des lampes Cadillac. Je leur propose donc une version Volkswagen tout à fait correcte et plus abordable.

Depuis le début de la semaine, on sent le printemps s'installer. Le soleil est presque chaud. La porte de ma boutique reste ouverte toute la journée. J'observe les passants déambuler et je leur trouve un air léger, heureux. Le retour du beau temps ne réchauffe pas que la ville, il surchauffe les corps. Les filles sont sorties de l'hiver comme les fleurs de la terre, belles, épanouies, colorées, odorantes. Les garçons les regardent passer, les croisent, les suivent. Ils rêvent de suspendre leur course, de s'accrocher à leur bras, de valser avec elles dans le froufrou de leur jupe. Les belles simulent l'indifférence en espérant secrètement que l'homme qui a attiré leur attention aura le courage de ses pulsions. L'été à Montréal, c'est la saison des terrasses, des balcons et de l'amour urbain. J'ai laissé la boutique aux bons soins de Léa comme on sèche l'école, avec un brin de culpabilité vite oublié.

– Quels fruits me conseillez-vous ?

J'ai compris le vrai sens du mot *destination* depuis que je fréquente le marché Jean-Talon. Aller à l'épicerie est une obligation. Mais planifier une visite au marché public, c'est comme se rendre à une fête. On s'y dirige avec un plaisir anticipé, d'où le concept de destination. Nino a toujours un couteau en main avec lequel il tranche de belles portions de ses fruits mûris à point.

– Cette semaine, les pêches, les nectarines, les abricots et les cerises. Goûtez-moi cette pêche…

Mon deuxième arrêt est pour la poissonnerie. Comme je suis nerveuse à l'idée de recevoir Pierre pour autre chose que de veiller à la structure de ma maison, j'ai pensé lui occuper les mains en attendant de savoir où j'aimerais qu'il les pose. Il sera responsable du barbecue.

Avant de partir, j'arrête chez les frères Birri pour voir comment le Québec se porte. Les Birri vendent ce que le terroir québécois offre de meilleur. Si les étals sont vides, c'est que les légumes ne sont pas encore sortis de terre.

Entre-temps, ils aident les amants de la nature à garnir leur potager. Je fais provision de plants de basilic, de thym et de romarin.

C'est en me dirigeant vers ma voiture les bras chargés de sacs que je l'ai aperçu. C'était un vendredi, l'entente était caduque mais à l'origine, c'était son jour de garde. Par chance, Gabriel n'a pas remarqué ma présence. Je me suis faufilée jusqu'à ma voiture.

Il était pareil mais différent. Il embrassait une belle fille qui riait fort. Je me suis demandé si elle savait qu'il m'avait écrit une lettre me proposant de revenir avec lui, où il disait m'aimer encore.

— Est-ce que tu m'aimes vraiment ? lui avais-je demandé.

C'était il y a six ans. Nous marchions serrés l'un contre l'autre. Le thermostat indiquait dix degrés Celsius, on se serait crus au printemps en plein mois de janvier. Spontanément, je m'étais glissée devant lui, l'obligeant à s'arrêter et à me regarder dans les yeux. C'était peut-être à cause du redoux que je lui avais lancé ma question comme on lance une balle, simplement pour jouer. J'avais espéré qu'il m'empoigne et m'embrasse tendrement sur ce trottoir, sous les arbres dégoulinants de neige mouillée, devant tout ces inconnus, comme cette femme à présent. J'aurais voulu jouir de notre amour dans ce faux printemps. L'entendre me répéter une fois de plus ces doux mots.

— Tu doutes de moi, avait été sa réponse.

Il m'avait accusée de n'être jamais satisfaite. De ne pas lui faire confiance. Il voulait savoir c'était quoi mon problème, au juste ? Ma déclaration d'amour détournée avait déclenché une attaque virulente. Des filets de bave jaillissaient de sa bouche déformée par la colère et venaient tapisser mon visage comme des taches de rousseur. Je lui avais demandé pardon mais il était trop tard. Nous étions rentrés à la maison en silence.

— Mademoiselle Després, s'il vous plaît.

J'arrivais à la maison lorsque j'ai senti mon cellulaire vibrer dans la poche de mon pantalon. Le rectangle dur et lisse de son boîtier frottait contre ma cuisse. Le temps que je dépose mes paquets et récupère mon téléphone, ses cloches d'église retentissaient au creux de ma main. Un jour je ferai sonner de vraies cloches, juste pour moi, sans raison, simplement pour le plaisir de les entendre carillonner.

« Mademoiselle », a dit la personne au bout de la ligne. J'adore qu'on m'appelle mademoiselle. Je m'imagine au XVIII$^e$ siècle, langoureusement assise dans un parc ombragé sous de grands peupliers. Une ombrelle de couleur pastel dans la main droite et l'autre calée dans celle d'un prétendant timide occupé à me séduire. À l'époque de l'amour courtois et des sentiments chevaleresques.

C'est le représentant du Bon Dieu qui m'appelle. L'abbé qui officiera durant la cérémonie de lundi souhaite en savoir plus long sur Bouchard. Comme un conférencier qui s'apprête à prendre la parole devant public, il se prépare. Il veut connaître son sujet, l'homme dans la boîte. Il cherche le mot juste, désire adopter le bon ton.

Par habitude, je sors dans la cour pour parler au cellulaire. D'énormes nuages blancs se découpent dans le ciel. On dirait des balles de coton dans un champ de lavande. J'aurais envie de prétexter un quelconque empêchement pour reporter à plus tard cette discussion. Le curé me suit au bout du sans-fil tandis que j'arpente mon jardinet, le regard au zénith. Il m'explique le déroulement de la cérémonie.

Depuis quelques semaines, je travaille à une série de photos que j'ai baptisée tout simplement *Nuages*. Les yeux rivés au ciel, je guette les stratus, altocumulus, nimbostratus et autres formations ouatées. Bien que je connaisse leurs noms, je ne les reconnais pas et ne cherche pas à les identifier. Ma seule préoccupation est de capter leur beauté dans la lumière du jour ou du crépuscule. Dans ma vieille *Subaru*, je deviens la météorologue Jo Harding du film *Twister* et je traque les nuages comme elle chasse les tornades. Agrippée à mon volant, je cherche le meilleur point de vue pour mitrailler le ciel de mon appareil. Je peux rester de longues minutes immobile, suspendue à mon objectif, à observer les nuées qui défilent lentement, tels des mannequins dans leurs plus beaux atours. Une fois rentrée à la maison, j'imprime mes clichés préférés que je colle au mur, autour de la fenêtre dans ma pièce de travail. Un jour, j'aurai mon ciel à moi. Entre-temps, je dois m'occuper d'envoyer Bouchard dans l'au-delà.

– C'était pas quelqu'un de bien, je dis.

Ce n'est pas le premier mort mal aimé sur lequel tombe le prêtre. Je lui parle de mon idée. Il est d'accord. Il sera au salon lundi à dix heures trente.

Pierre est arrivé avec des fleurs dans un vase au fond duquel nage un poisson rouge. Il dit que c'est un cadeau pour moi et pour les chats. Pas pour manger. Pour regarder. Dans l'autre main, il tient une bouteille de champagne. « Ça, c'est pour nous. » Je ris maladroitement en m'approchant pour prendre les fleurs. Il m'attrape de sa main libérée, trouve mes lèvres et y dépose un baiser. Un vrai. Le premier. Assise sur le moteur vrombissant d'un *Airbus 320*, je redécouvre la sensation de décoller.

— Je voudrais un bouquet des callas, comme Maria. Le fleuriste me jette un regard glacé. S'il pouvait me tirer la langue, il le ferait. Chose certaine, il ne me trouve pas drôle. Autre certitude, j'étais de bonne humeur avant d'entrer dans sa boutique.

Pierre et moi avons traîné au lit jusqu'à midi. Il pleuvait. J'avais ouvert la fenêtre pour laisser pénétrer l'air. La brise fraîche nous obligeait à rester cachés sous les couvertures. À ne rien dire. À ne rien faire. Heureux d'exister dans cette matinée humide. Les chats dormaient en boule. Les pattes entremêlées. Le sommeil paisible. Au réveil, ils se sont mis à se toiletter mutuellement, ce qui a donné à Pierre l'idée de me laver le dos. Nous nous sommes glissés dans un bain chaud, camouflés sous un énorme nuage de bulles. C'était une idée de moi, pour voiler ma nudité le temps d'apprivoiser le regard de Pierre.

Rien de la chaleur de notre nuit d'amour ne m'avait préparée à subir la froideur du fleuriste.

— Des callas, c'est un *booon* choix...

— Vous pouvez me suggérer une autre fleur pour compléter le bouquet ?

135

– *Beeen làààà…* c'est *peeersooonneeel*, les *goooûts*, ça se discute pas…

J'imagine une cliente me questionner sur la couleur d'une passementerie et lui répondre de la sorte, « c'est *peeersooonneeel* .» Mes clientes s'attendent à ce que je les conseille sur les choix qu'elles s'apprêtent à faire, sinon il n'y aurait aucun avantage à venir à ma boutique. Elles n'ont qu'à ramasser une lampe dans une grande surface.

Je reste là, figée devant sa chambre froide à regarder les bouquets de fleurs coupées. Monsieur Côté végète à deux pas de moi. Le dos droit, les bras croisés, il me regarde sans rien dire. Il croit que j'hésite. C'est faux. Je me demande ce que je fais ici et de quelle manière quitter cet endroit sans créer d'incident diplomatique. C'est mon voisin, après tout.

– C'est *pooour* quelle *occaaasioon* ?

– Un enterrement.

Je ne sais pas quelle idée m'a prise de vouloir acheter des fleurs à Bouchard. En fait, quand je suis arrivée sur la rue Saint-Laurent, la boutique du fleuriste a attiré mon attention. Pour la première fois cette année, il a sorti des plantes et quelques pots de fleurs sur le trottoir. Je me suis alors imaginée seule devant l'urne de Bouchard. Dans une pièce impersonnelle. Au cœur d'une maison qui sentirait la momie. Je me suis dit qu'un bouquet de fleurs fraîches pourrait alléger l'atmosphère et je suis entrée.

– C'est pour mon père, pour apporter au salon funéraire.

La mort a eu raison de la froideur de monsieur Côté. Il s'est aussitôt mis à me parler de sa mère, emportée par le cancer. Des mois de souffrance qui avaient précédé son départ. Du moment où, main dans la main, elle était partie et lui, il avait dû apprendre à rester. Et puis, il y a cette plante qu'il conserve en souvenir. Une immense fougère qu'il a divisée en deux tellement elle était grosse, et encore en deux quelques années plus tard et bientôt à nouveau. Tous ces végétaux qui s'enracinent chez lui, chez sa sœur, dans sa boutique, c'est un peu de sa vie à elle qui continue.

Il me raconte tout cela parce qu'il pense que je souffre. Le fleuriste m'attribue des sentiments qui lui appartiennent. Il projette ses émotions sur moi. Ma psychologue m'a parlé de ce processus un jour que je lui disais à quel point Romain avait été blessé par l'attitude de Bouchard.

— Je ne sais pas pour votre frère, mais c'est vous qui êtes assise devant moi depuis deux ans. Parlez-moi de votre souffrance, avait-elle demandé.

— Je ne souffre pas, je suis en colère.

— Si les sentiments étaient des édifices à étages, la souffrance se cacherait au sous-sol, ensevelie sous les étages occupés par la colère, l'incompréhension, l'impuissance… parlez-moi de votre souffrance…

Je suis sortie de la boutique avec un vase dans lequel monsieur Côté a disposé cinq callas noires. Il a mis juste ce qu'il fallait d'eau pour couvrir le bout des tiges avant de déposer le pot dans une boîte où il l'a bloqué avec du papier journal. En plus, il me les a offertes en cadeau. « C'est trop triste », il a dit. Il m'a même ouvert la porte quand je suis sortie. J'étais tellement surprise que j'ai bien failli manquer la marche. Grâce à l'amour d'une mère, nous étions devenus amis.

Le ciel s'était complètement dégagé. Le soleil séchait l'asphalte en laissant des poches d'humidité. C'était tranquille à la boutique. J'avais l'impression que les gens entraient davantage pour tuer le temps que pour faire des achats. La preuve en était qu'ils ressortaient les mains vides. J'aurais voulu être ailleurs, mais je devais assurer la permanence.

Avant de partir, Léa ne m'a pas posé de question sur ma soi-rée avec Pierre. Elle a sûrement déduit de mon retard et de mon regard lumineux que tout s'était bien passé. Et moi, je n'avais pas envie de mettre des mots sur la tendresse qui est venue se lover entre Pierre et moi. J'ai eu peur que les mots ne banalisent ces moments magiques.

— Je te dérange ? Je suis enceinte !

Il n'y a que Florence pour enfiler une question suivie d'une affirmation avec la force d'un coup de poing. Je ne sais trop quoi répondre. Mon rapport avec la maternité est trouble. J'ai tout de suite pensé aux jeunes avec qui elle travaille. À leur colère, à leur détresse. Puis j'ai imaginé Romain en Ouganda, entouré d'enfants soldats. À Pierre l'enfant aban-donné. À moi, incapable d'enfanter et finalement à Léa dont la décision semble irrévocable. Elle ne veut pas avoir d'en-fant, le monde offre trop peu d'espoir.

Puis d'autres images se sont mises à défiler dans ma tête. D'abord celle de Bouchard assis côte à côte avec ma grand-mère, comme de vieux complices. Celle de Pierre dont les yeux s'embuent quand il parle de son fils. Mais surtout le souvenir de ma mère qui posait un baiser sur mes cheveux chaque fois qu'elle en avait l'occasion. Toutes ces images m'ont transpercé le cœur, laissant passer des courants d'air froids et chauds.

Je sais que les pages d'un livre peuvent se détacher, qu'on peut en perdre, que la séquence des événements est suscep-tible de se mêler, qu'une reliure peut être imparfaite. Mais je sais aussi que ces histoires peuvent former un tout cohérent et harmonieux.

— Tu vas faire une mère magnifique, ai-je affirmé.

Elle m'interroge au sujet de Pierre. Je lui promets de tout lui raconter plus tard, devant un verre de lait. Deux événements commencent à prendre forme, des embryons imperceptibles à l'œil nu, seulement identifiables par les voix du cœur, impossibles à photographier mais plus réels que n'importe quel instantané.

Comme c'est tranquille, je consacre le reste de l'après-midi à travailler sur une lampe pour une chambre d'enfant. J'ai retrouvé les wagons d'un vieux train jouet en métal, déniché chez un antiquaire, un bloc de bois avec de grosses lettres vertes et rouges, ainsi qu'une tasse rose qui doit avoir appartenu à une poupée. J'ai également trouvé un petit abat-jour dans des teintes marines qui devrait convenir.

Je considère ces objets hétéroclites et essaie d'imaginer comment je pourrais les assembler pour en faire un beau luminaire. Je les fixe les uns aux autres. Les plus petits sur les plus grands, comme il se doit dans une famille où les plus faibles devraient pouvoir s'appuyer sur les plus forts. Au risque de tout briser, j'arrive à faire passer un tube de métal à travers les éléments pour les maintenir ensemble et y glisser le fil.

— Moi aussi…

Pierre m'a téléphoné. Il voulait me répéter encore une fois qu'il avait passé une belle soirée et une nuit encore plus merveilleuse. Nous ronronnons comme des chats à chaque bout de la ligne, excités par notre bonheur flambant neuf. Il viendra me rejoindre demain matin dans mon lit, après avoir reconduit son fils chez ses parents. Sa mère l'amène au zoo. Pierre dit qu'il a très hâte de me revoir.

— Moi aussi, je répète.

— Viviane !

Je savais qu'il s'agissait de ma voisine avant même de me retourner. C'est sa manière de mettre l'accent sur le *Vi* qui la trahit. Avec elle, on dirait que je porte un prénom composé, *Vi-Viane*, ou que mon prénom est en fait un prénom et un nom, *Vi Viane*. Je la regarde tourner le coin de l'avenue Mont-Royal, ballottée entre deux gros sacs. Elle se balance comme un voilier sur une mer déchaînée. Elle refuse d'abord de se délester de ses paquets pour finalement accepter mon aide. J'ai l'impression de transporter des ballons : ses sacs sont remplis de rouleaux de papier de toilette et d'essuie-tout. C'était sa vieillesse qui tanguait.

– C'est trop humide pour moi, dit-elle.

Sa maison est identique à la mienne, mais à l'envers. La petite pièce du devant déborde de vieux journaux. Un fauteuil en cuir brun trône de biais par rapport à la fenêtre. Une très belle lampe torchère est placée à côté. Sur la table d'appoint, il y a une lampe en bronze représentant des chasseurs. De l'autre côté du corridor, le salon double est encombré de meubles anciens, de photos d'ancêtres à la mine grave et de bibelots disposés çà et là sur toutes les surfaces. Le plafonnier est d'origine. Le mobilier est orienté vers un téléviseur qui grouille d'images silencieuses. La chambre à coucher comprend deux lits étroits placés l'un à côté de l'autre, comme des cercueils pour des funérailles doubles.

– Je vais vous préparer un bon café.

Je refuse son offre mais elle ne semble pas avoir entendu. Elle ne devait pas avoir envie de l'entendre. Elle souhaite me garder un peu avec elle. Je la regarde vider le filtre, le rincer, y placer un cône de papier usagé qui séchait sur le comptoir, tête en bas. Elle compte deux cuillerées de café frais et remplit le réservoir d'eau. Elle appuie sur le bouton qui passe au rouge et le gargouillis de l'eau se fait entendre presque instantanément. Ses gestes sont mécaniques, précis. Elle sort un gâteau du frigo et le pose au centre de la table. Elle s'assoit devant moi, fière de m'avoir attirée dans son repaire.

Je n'ai pas envie de boire de café, mais je veux bien rester un peu avec elle.

— Servez-vous, fait-elle en poussant l'assiette de gâteau vers moi. C'est un quatre-quarts aux abricots. Le dessert préféré de mon mari.

Je coupe une tranche et la dépose sur une serviette de table. Ma voisine se lève d'un bond et sort une assiette. Elle me fait signe d'y transporter ma tranche. Elle retourne chercher une tasse dans laquelle elle verse deux cuillerées de sucre puis le café. Elle dépose la tasse devant moi en me faisant signe du doigt. Je comprends que c'est le moment de goûter au gâteau. Je mords dans la pâte et mes palettes s'enfoncent dans le moelleux d'un fruit. Elle me regarde manger et juste au moment où j'avale la dernière bouchée, elle désigne la tasse de café. Je m'exécute.

— Il est bien beau votre amoureux, dit-elle.

Je ne suis pas certaine d'avoir envie de lui raconter ma vie. Mais je suis d'accord pour l'entendre me parler de la sienne. J'évite ses questions pour relancer l'échange sur une autre piste.

— Il y a longtemps que vous habitez ici ?

— Depuis toujours. Je suis née dans cette maison. Jeune mariée, je vivais plus bas sur la rue. Mon mari et moi avons repris la maison après la mort de mes parents. À cause du jardin. Je pourrais écrire un livre sur l'histoire de cette rue. Juste avant vous, c'était un couple sans enfant qui habitait là. Ils se sont divorcés, enfin, je crois. Je dis je crois parce qu'elle est partie en premier. Un camion est venu chercher des meubles. Trois mois plus tard un autre camion est passé. Selon moi, ils n'allaient pas dans la même direction. Allez, servez-vous encore, ajoute-t-elle en poussant l'assiette plus près de moi.

Je pourrais en prendre une dernière tranche, mais je sais que je n'oserais jamais me servir une troisième fois. Alors j'en prends deux en me disant que je ferais mieux d'aller courir ce soir.

— Cette rue est remplie d'histoires d'amour. Il y a très longtemps, quand j'étais petite, une très belle femme a été enlevée par son amoureux. Elle s'était fiancée contre la volonté de ses parents. Un soir, son homme est venu la chercher. On ne les a plus jamais revus. Et il y a les deux voisins qui sont tombés amoureux. Ils avaient grandi ensemble. Lui habitait le 4441 et elle, le 4443. Ils étaient inséparables. Ils le sont restés jusqu'à la mort. Il y a eu aussi des histoires tristes. Un homme a tué son frère après l'avoir trouvé au lit avec sa femme. Et puis il y a cette maman qui est morte. Ce n'est pas à proprement parler une histoire d'amour, mais ça s'est passé dans notre rue. Tout ça à cause d'un chat. La jeune maman habitait justement la maison que vous venez d'acheter.

Je suis sortie de chez ma voisine avec le goût de vomir, et ce n'était pas à cause du gâteau.

G abriel m'a invitée chez lui. Il a organisé une grande fête pour son anniversaire. C'est la première fois qu'on se revoit depuis notre rupture. Toutes les pièces de sa maison sont peintes en blanc. Avec la lumière du jour qui entre par les fenêtres, on la croirait suspendue dans les nuages.

La maison est remplie à craquer d'invités, mais il n'y a que nous deux dans la cuisine. Le brouhaha des voix qui nous parvient de loin n'atteint pas le silence qui nous unit. J'ai toujours envie de lui et je crois qu'il en va de même pour Gabriel. Nous savons aussi qu'il est trop tard. Nous sommes ailleurs. Chacun de notre côté. Comme pour le confirmer, sa petite amie se montre le minois dans l'embrasure de la porte. Elle dit quelque chose à Gabriel, nous sourit et repart.

La double porte vitrée de la terrasse m'appelle comme un tableau qui suggérerait un détail et dont il faudrait que je me rapproche pour en comprendre le sens. Je passe du blanc au vert. La pelouse, les arbustes, les arbres, les feuilles et les épines se fondent dans une surenchère de verts… pomme, olive, kaki, émeraude, lime. Le détail est devenu un tout cohérent.

Je sens le corps de Pierre se presser contre le mien. Je me redresse. Je dois d'abord quitter Gabriel. Traverser cette maison et refermer la porte derrière moi. Je serre les paupières une dernière fois pour retrouver la beauté irréelle de cet espace blanc. M'imprégner de cette ambiance surréaliste de voiles, de brumes et de coton. Le blanc. La pureté. L'innocence. La paix. J'ai déserté l'univers de la rancune pour entrer dans celui du pardon. Cette nuit, une opération alchimique s'est produite et m'a délivrée de Gabriel. Je suis enfin libre. Le réveil marque dix heures dix, une suite harmonieuse et réconfortante. *War is over*, chantait John Lennon.

Pierre s'est redressé à son tour. Il a plongé son nez dans ma nuque. Il respire mes cheveux en les inondant de minuscules baisers aussi légers qu'une pluie d'été. Il veut savoir si ça va. Ce n'est pas Gabriel. Ce ne sera plus jamais lui et moi. Suis-je heureuse de ce nouveau visage près du mien ? De cette nouvelle chaleur matinale ? Nous basculons sur les oreillers et je me dis que j'ai peut-être trouvé le chocolat que je cherchais.

– Vas-tu garder la maison ?

Nous avons regroupé les meubles de ma chambre au centre de la pièce. Je suis juchée sur un petit escabeau pendant que Pierre répare les fissures. Il m'a dit de le laisser faire, que c'est son métier. Alors je l'observe. Les chats ont suivi. Ils se sont allongés dans les plis des couvertures qui recouvrent le plancher. Nous sommes tous là, installés comme au théâtre, à le regarder travailler. Armé d'une truelle, Pierre bouche les fissures par applications successives de plâtre. Il y a deux Pierre dans ma vie. L'homme au travail et l'amoureux. Les deux me plaisent.

– Je ne sais pas.

Je vis dans une maison que j'aime mais qui n'a pas toute ma confiance. Elle est lumineuse et ouverte sur l'extérieur, mais en même temps je sens qu'elle me cache quelque chose. Son côté sombre me pèse. Je suis chez moi mais aussi chez quelqu'un d'autre. Reste à savoir si cet autre fait également partie de moi. Avant d'apprendre que Bouchard y avait vécu, je circulais à travers les pièces en les décorant du regard. Depuis quelques jours, je les fouille à la recherche d'un enfant qui s'y serait perdu.

– Il était comment, ton père ?

C'est la deuxième fois de ma vie qu'une question me laisse sans voix. Je devais avoir treize ou quatorze ans la première fois. Le professeur d'anglais me l'avait posée devant toute la classe. Il voulait que je raconte mon plus beau souvenir d'enfance. C'était l'oral de fin d'année, une question prise au hasard et sur laquelle je devais discourir pendant trois minutes. J'étais restée plantée sans rien dire. Je cherchais dans ma tête un moment heureux, magique, un de ces instants qui valait la peine d'être raconté.

– *Hurry up* Viviane…

Il était trop tard, j'étais descendue cent mille lieues sous la mer. Je ne voyais rien. J'avançais à tâtons. Les bras tendus devant moi, je fouillais le sol visqueux à la recherche d'une anecdote, n'importe quoi. Un cadeau qui m'aurait fait plaisir. Une visite inoubliable. Un anniversaire réussi. Je me heurtais à l'arbre de Noël en feu. À Romain exclu des sorties de famille. Au gâteau de la Saint-Valentin dans lequel Bouchard avait planté sa bouteille de bière. À la queue de Pantoufle coincée dans la porte. J'entendais le prof s'énerver dans une langue qui me serait toujours étrangère. Finalement, il était revenu au français : « Vous êtes en retenue », il avait dit.

J'ignore comment était Bouchard. Je sais aujourd'hui qu'il a déjà été un enfant. Je ne me suis jamais imaginé l'époque de ses vingt ans où il se baladait l'œil aguicheur, à la recherche de l'amour, avant de rencontrer ma mère. Je ne garde pas de souvenir de l'homme de trente ans qui vivait avec nous.

Je cherche un autre Bouchard. Celui qui aurait pu être en conversation avec ma mère, avec moi sur ses genoux, à vérifier la chaîne de bicyclette de Romain, à tourner les pages d'un journal. Il n'est nulle part dans aucune de ces images réconfortantes. Il est derrière la porte, tapi dans l'ombre, prêt à attaquer.

– Je t'entends réfléchir, ma belle.

– Je vais amener Bouchard faire une balade...

En moins de trois heures, Pierre a plâtré toutes les fissures provoquées par le redressement de ma maison. Je l'ai suivi en lui faisant écouter mes chansons préférées sur ma station iPod. Et je lui ai parlé de moi sur des airs de Cohen, de Chet Baker et de Barbara.

Je suis tombée par hasard sur Janis Joplin. Elle chantait *Me and Bobby McGee*. J'ai eu envie de parler à Pierre de ma mère. Des moments où elle chantait à tue-tête. Elle sortait le disque de sa pochette et le manipulait du bout des doigts en évitant de toucher la surface. On aurait dit une Anglaise avec sa tasse de thé. Aussitôt que le disque tournait sur la platine, une femme que je ne connaissais pas se mettait à danser dans mon salon. Elle criait *New Orleans* comme si elle allait bientôt prendre la route, puis « *Good enough for me and my Bobby McGee* », avant d'enchaîner d'interminables « *La da la la la, la da la la la da la* » les yeux fermés, le corps enlacé de se propres bras. Elle m'énervait. Aujourd'hui, je comprends que cette femme avait des rêves qui débordaient les murs de notre logis.

Cette chanson m'a fait penser aux biscuits, à l'odeur des biscuits au beurre d'arachide qui cuisaient pendant que Romain et moi regardions *Passe-Partout*. Puis, je me suis souvenue des arômes dégagés par la sauce à spaghetti qu'il nous fallait brasser à tour de rôle pendant les pauses publicitaires. Au parfum de la confiture aux fraises qui mijotait pendant de longues heures. Aux gâteaux que ma mère décorait de petites dragées argentées qui faisaient mal aux dents lorsqu'on les croquait.

J'avais trouvé mes souvenirs heureux. J'étais prête pour mon oral.

Pierre refuse que je l'embrasse pendant qu'il travaille. Il dit qu'il est sale. Je réponds que je m'en fous. Je l'embrasse contre son gré. Je me colle à son corps et lui, il tente de se dégager. Nos tiraillements inquiètent les chats qui s'enfuient au sous-sol. Pantoufle est un fin renard. En peu de temps, il a réussi à amadouer Éos et à l'entraîner dans son repère. Je la sens plus distante avec moi. Elle est rarement là à m'attendre quand je rentre. Lorsqu'elle daigne se présenter, il y a toujours Pantoufle dans son sillage. Ils semblent s'être trouvés, je suis contente pour eux.

– Veux-tu sortir avec moi?

Il y a vingt ans que je n'ai pas entendu cette question. La dernière fois, c'était Martin Rouleau qui me l'avait posée. Nous étions au parc. J'avais douze ans. J'ignorais ce que cela supposait comme obligation mais j'avais répondu par l'affirmative. Mes amies étaient presque toutes sorties au moins une fois avec un garçon, moi pas. Et puis, Martin Rouleau était un des plus beaux gars de la classe.

Avec les années, cette formulation est passée de mode. Après trois rendez-vous avec le même garçon, on se disait qu'on sortait ensemble. Dans la vingtaine, les jeunes étaient trop indépendants pour aborder le sujet. À l'approche de la trentaine, tout est soudainement devenu plus compliqué. Les gars voulaient savoir où je me situais avant même d'avoir fini leur verre de bière. Est-ce que je souhaitais avoir des enfants ? Quand et combien ? Quelle importance accordais-je à la réussite professionnelle ? Quelles étaient mes ambitions ? Avais-je même des ambitions ? Est-ce que je croyais au mariage ? À la fidélité ? C'était la génération des garçons qui avaient consolé leur mère lorsque leur père l'avait laissée pour une plus jeune. Ils avaient peur de s'engager, mais surtout peur de blesser.

Si j'avais pu choisir entre plusieurs formulations pour exprimer un élan amoureux, j'aurais choisi celle-là. La question de Pierre, aussi naïve qu'elle puisse paraître, a le mérite de clarifier les choses. Il vient de m'avouer qu'il tient à moi et qu'il souhaite s'engager dans une relation exclusive. Comme la gamine que j'ai déjà été, je réponds oui. Mais cette fois-ci, je sais exactement à quoi je m'engage.

J'ai regardé l'heure au tableau de bord de ma voiture, puis à ma montre. Dix heures seize contre dix heures treize. Quoi qu'il en soit, je suis en retard. J'ai rendez-vous avec Florence à dix heures trente au salon funéraire. La connaissant, je suis certaine qu'elle est déjà là. Je croyais pouvoir tout régler rapidement ce matin. Mais voilà, le facteur était en retard.

J'ai posté le couteau vendredi. La jeune fille du bureau de poste m'a assuré que le colis, expédié par courrier prioritaire, serait livré aujourd'hui aux alentours de neuf heures trente. J'attends depuis près d'une demi-heure. Je le vois enfin arriver. Le facteur monte la rue tranquillement en tirant derrière lui son sac à roulettes. La journée est belle et il profite de chaque rayon de soleil pour siffler aux oiseaux.

Comme dans un film où la succession des plans est prévue de manière à produire un effet dramatique, la porte de chez Gabriel s'est ouverte puis refermée. En moins de deux, j'étais couchée sur le siège du passager. J'ai entendu une voiture s'arrêter, Gabriel dire quelque chose, une portière s'ouvrir puis se refermer. J'ai attendu que le silence soit revenu avant de lever la tête. Le taxi était déjà loin et son clignotant indiquait qu'il se dirigeait vers l'ouest. L'aéroport, j'ai pensé. Quand Gabriel se munit de sa valise noire, c'est toujours pour aller prendre un avion. J'ai cherché le facteur du regard. Il continuait à distribuer ses bonnes et mauvaises nouvelles à vitesse réduite.

Il est finalement arrivé à ma hauteur. Je faisais semblant de chercher quelque chose dans le coffre à gants lorsqu'il a frôlé ma voiture. Ses lèvres laissaient passer un air connu dont le titre m'échappait. Il a sorti mon enveloppe de son sac pour la déposer dans la boîte aux lettres de Gabriel. J'ai compté jusqu'à cinquante avant d'aller la récupérer.

J'ai envoyé un courriel à Gabriel tôt ce matin. Je lui raconte mon rêve blanc. Cette sensation d'être enfin arrivée à lui pardonner. Je lui dis aussi que pardonner ne veut pas dire oublier et pour cela, nous deux, ce n'est plus possible. Je sais qu'il entendra ma voix en lisant mes mots, ça n'a plus d'importance. Je suis libérée des règles qui me paralysaient telles des cordes un fagot. Il me fallait récupérer le couteau car j'ai d'autres projets pour celui-ci.

Quand je suis arrivée à la maison funéraire, Florence m'a prise dans ses bras et m'a serrée très fort. J'ai senti ses seins sous nos chandails respectifs. Ils m'ont semblé plus gros qu'à sa dernière étreinte, en février, le jour de mon anniversaire. Un des premiers symptômes de la maternité, j'ai pensé.

– Je suis tellement contente pour vous, j'ai dit à Florence et à Jean qui l'accompagnait.

À l'idée de cet enfant à naître, j'ai attiré Florence tout contre moi et lui ai rendu son câlin. Nous parlions de bébés lorsque Léa est arrivée. Elle s'est jointe à nous, nous saluant dans un chuchotement avant de se taire définitivement. Elle m'avait prévenue, elle déteste les hôpitaux et encore plus les salons funéraires. Puis le concierge, à qui j'avais finalement décidé de communiquer les coordonnées de la cérémonie, a fait une entrée remarquée. Il portait un chapeau par-dessus sa perruque. On aurait dit un cornet à trois boules. Il était accompagné du type qui s'entraînait avec Bouchard et de deux autres hommes, des partenaires de poker. C'est ainsi qu'ils se sont présentés, pas de prénoms ni de noms, simplement des rôles dans la vie de Bouchard. Puis ma voisine d'en face est arrivée. Pierre la tenait discrètement par le coude, davantage par gentillesse que par nécessité. Madame Dubois, qui avait appris par Léa le décès de mon père, traînait dans leur sillage. Enfin, il y avait un invité de marque, Pantoufle. J'avais eu l'autorisation d'apporter le chat à la condition qu'il reste dans sa cage.

Nous étions tous réunis pour différentes raisons. Florence et son Jean, Léa, madame Dubois et Pierre étaient là pour moi. Ma voisine parce que ma présence dans sa rue avait fait ressurgir de vieilles histoires dont elle avait gardé un souvenir attendri. Le concierge et les amis de Bouchard pour le défunt lui-même. Quant à moi, j'ignorais encore ce que je faisais ici. Depuis une semaine, j'avançais à tâtons comme un soldat sur un terrain miné. Seul mon instinct guidait mes pas et chaque avancée m'avait prouvé jusqu'à maintenant que j'avais pris de bonnes décisions.

– Nous sommes aujourd'hui réunis pour dire au revoir à l'enfant qu'a été Daniel Bouchard.

Ceux qui se demandaient pourquoi les cendres de Bouchard étaient dans une urne sur laquelle figurait un ourson jouant à la balle venaient de comprendre. Je n'avais pas été capable de faire la paix avec Bouchard adulte, mais j'avais trouvé au cœur de cette maison qui l'avait vu grandir l'enfant qu'il avait été. J'avais croisé le petit garçon sous l'arbre qui suppliait sa mère d'aller chercher son chat. J'avais vu sa mère poser l'échelle sur le tronc et y grimper. J'avais vu le visage du petit Daniel s'illuminer en un sourire éclatant quand ma grand-mère avait enfin attrapé l'animal. Puis la terreur dans ses yeux lorsqu'elle avait basculé et que la pierre sous sa tête était passée au rouge. Aujourd'hui, je portais en terre l'enfant inconsolable. Celui qui n'avait plus jamais été capable de prendre le risque d'aimer.

La cérémonie a été de courte durée. L'officiant a résumé la vie tragique de mon père avec des mots empruntés à notre conversation de vendredi dernier. Puis il a prononcé quelques phrases de circonstance tirées d'un feuillet qu'il a sorti avec difficulté de sa poche arrière. Il a ajouté un texte de son cru. J'ai compris que c'était la portion pour laquelle j'avais payé un supplément. Ce n'était pas bête, simplement inutile. Mais j'étais satisfaite, la cérémonie avait un certain fini, comme lorsque je pose un ruban afin de rehausser une création. Le prêtre nous a ensuite demandé de garder une minute de silence à la mémoire du défunt.

Comme la grande majorité des silences, celui-ci a créé un malaise dans l'assemblée. Le concierge a réagi en se raclant la gorge, Léa en s'assurant que son cellulaire était bien éteint et quelques autres personnes en replaçant leurs jambes autrement. Florence, qui a l'habitude de la souffrance, n'a pas bougé d'un poil. Mais c'est surtout le moment que Pantoufle a choisi pour miauler. Un miaulement triste. On aurait dit un bébé qui pleurait.

Nous sommes tous sortis en même temps. Florence m'a enlacée encore une fois en me chuchotant à l'oreille que c'était bien. J'ignorais si elle me félicitait d'être allée jusqu'au bout de cette histoire ou si elle faisait référence à l'urne avec l'ourson. Jean discutait maternité avec Léa. Ma voisine se tenait entre Pierre et moi en répétant que c'était triste. Madame Dubois s'entretenait avec l'officiant. Les amis de mon père fumaient dans un coin. Pantoufle faisait sa toilette dans sa cage.

L'assemblée s'est finalement dissoute et nous sommes partis tous les trois, Daniel, Pantoufle et moi. J'ai installé mon père sur le banc avant et Pantoufle sur la banquette arrière. Pierre, mon amoureux officiel, m'a dit au revoir en me serrant très fort comme si je partais au front. J'aurais voulu le rassurer, lui dire que j'allais bien. Je ne souffrais pas, je me sentais enfin en paix. Je n'ai rien dit pour éviter qu'il ne desserre son étreinte.

J'ai traversé le pont Jacques-Cartier en regardant à moitié devant moi et à moitié le fleuve Saint-Laurent. Le soleil miroitait sur l'eau, créant un paysage d'une beauté inouïe, impossible à capter avec l'objectif de mon appareil photo. J'ai roulé sur la route 132 jusqu'à l'autoroute 20 en direction de Québec. Il était près de trois heures lorsque j'ai vu la structure blanche du pont Pierre-Laporte dressée dans le ciel. Je suis passée sous ses arches en pensant aux arcs romains, puis à Romain et aux batailles, aux victoires et enfin, aux défaites.

— Un autre pont, le plus beau selon moi, j'ai fait remarquer à mon père.

Moi qui pensais avoir plein de choses à lui dire, moi qui avais prévu ce long trajet pour lui parler du mien, je n'ai pas trouvé les mots. J'ai donc roulé vers Québec en silence, avec l'impression qu'à l'intérieur de moi quelque chose était en train de se placer. À Québec, j'ai guetté les panneaux de signalisation qui indiquaient Saguenay/Sainte-Anne de Beaupré et, une fois sur la route 138, je me suis mise sur le pilote automatique jusqu'à Baie-Saint-Paul.

J'ignorais que ma grand-mère était née dans cette région. En fait, j'ignore tout de mon père et de sa vie, hormis la terreur qu'il m'a insufflée. Maintenant que je sais qu'il avait la même dans ses yeux d'enfant, elle me fait moins peur. J'ai immobilisé ma voiture derrière l'église et suis partie à pied. De gros nuages blancs faisaient une toile de fond aux clochers. J'ai déposé mon sac à dos et la cage du chat par terre et j'ai sorti mon appareil photo. J'ai pris plusieurs clichés en contre-plongée. On aurait dit de gros doigts indiquant une direction à suivre.

Le cimetière était juste derrière. Je m'y suis promenée comme je parcours les rubriques nécrologiques, en m'imaginant les personnes de leur vivant, en me demandant quelle avait été leur histoire et de quoi était fait leur legs. Il m'a fallu presque une heure pour trouver la tombe de ma grand-mère. La mention *Marguerite Bleau 1933-1959, Partie trop tôt* était inscrite sur la pierre. Il n'y avait aucune trace de mon grand-père. Aucune inscription confirmant son passage sur cette terre. Ma voisine m'avait raconté qu'il avait disparu avant la cérémonie religieuse, mais après avoir égorgé le chat.

Pantoufle avait faim. Je l'ai sorti de sa cage et ai attaché une laisse à son collier avant d'enrouler celle-ci autour de la pierre tombale de ma grand-mère. Je lui ai servi un *Festin au poulet* avec de l'eau. Il a tout mangé avant même que j'aie eu le temps de trouver ma barre tendre au fond de mon sac. Il se léchait les babines en me regardant, prêt pour la suite. J'avais bien une boîte de thon, mais j'hésitais à lui en donner de crainte de voir son estomac surchargé se déverser dans sa cage. Je lui ai caressé le dos pour l'encourager à patienter.

J'ai laissé Pantoufle à sa toilette et suis partie à la recherche de scènes à photographier. J'ai entamé une série intitulée *Mon père*. Elle commence par la photo de lui et de sa mère devant notre maison. Puis celle que Jacinthe Martin, *Liaison coroner*, m'a donnée. Et une de moi enfant. J'espère pouvoir compléter ma série aujourd'hui.

J'ai fait quelques clichés de loin. Des rangées de pierres droites pareilles à des soldats au garde-à-vous. Certains mots. Des noms à moitié disparus, grugés par le temps. Des dates qui parlent. De stèles brisées. J'ai tout effacé en retournant vers ma grand-mère. Je n'étais pas arrivée à saisir ce que je cherchais.

J'ai retrouvé Pantoufle qui n'avait pas encore fini son grand ménage. Il se léchait les pattes puis les frottait sur son museau, sur ses yeux et derrière ses oreilles. Je me suis assise près de lui et j'ai sorti l'urne de mon sac. J'ai ouvert le couvercle. Deux kilos d'os broyés et de poussière. Mon père. Avec soin, j'ai lentement déversé les cendres sur la tombe de ma grand-mère. Je les ai répandues de la tête au pied dans un mouvement de balancier qui n'était pas sans me rappeler le va-et-vient d'un berceau de nouveau-né. Heureusement, l'herbe était haute. Les débris se sont entassés entre les brindilles et les cendres plus légères sont parties, soufflées par le vent.

J'imaginais mon père. Couché sur le ventre de sa mère. Réconforté par la chaleur de sa peau. Ils se retrouvaient enfin au terme d'un douloureux voyage. Si ma mère disait vrai au sujet de la réincarnation, cet enfant avait droit à une autre chance, à une vie meilleure. En tout cas, je le lui souhaitais. J'ai sorti le couteau de mon sac et l'ai enfoncé profondément dans la terre au pied de la pierre tombale. Il faisait partie de la même histoire. Il devait lui aussi retourner à la terre. J'ai passé un long moment à veiller mes morts. Le fond frisquet de l'air fluvial m'a rappelée à l'ordre.

J'ai remis l'urne vide dans mon sac, Pantoufle dans sa cage. Il était temps de rentrer à la maison. Lorsque je me suis penchée pour ramasser le vieux manteau de mon père qui nous avait servi de couverture, je l'ai vu. Il était là. Étendu sur l'herbe. Les bras en croix. Le ventre défoncé laissant paraître une plaie ouverte. Daniel. J'ai sorti mon appareil et j'ai fait une photo.

J'ai regardé autour. Il n'y avait plus rien à faire ici. J'ai mis le manteau sur mes épaules et suis partie. J'étais presque parvenue à quitter le cimetière. Presque arrivée dans une autre histoire lorsque je me suis retournée.

– Est-ce que tu m'as déjà aimée ? lui ai-je demandé de loin.

J'ai regardé à gauche, puis à droite. Rien ni personne. Seulement lui et moi. L'un devant l'autre. Et j'ai attendu. Une minute, peut-être deux. J'espérais un signe. Le vent qui froisse les feuilles d'un arbre. Un oiseau sifflant un air connu. Un enfant qui m'aurait souri en passant. Un signe que j'aurais pu interpréter comme un oui. Rien. Uniquement le silence. Immense et définitif.

J'ai installé Pantoufle sur le plancher, devant le siège avant. En démarrant ma voiture, la radio s'est mise à jouer. L'animateur annonçait qu'il allait pleuvoir toute la semaine. Il tentait de réconcilier ses auditeurs avec le mauvais temps. C'était bon pour les pelouses, disait-il. J'entendais un drôle de bruit. On aurait dit un léger roulement de tambour ou de tonnerre. L'orage, j'ai aussitôt pensé. J'ai scruté le ciel à travers la vitre. Tout semblait calme pour l'instant.

Le moteur, ai-je conclu. J'ai éteint la radio. Le bruit venait de sous le tableau de bord. Je me suis penchée. C'était Pantoufle. Il ronronnait. Il me regardait droit dans les yeux et ronronnait. Je l'ai sorti de sa cage. Je ne sais pas si les chats pleurent, mais il me semble que nous avons pleuré ensemble ce jour-là. Avant de partir, j'ai pris une photo de nous deux. Ma série était complète.

# LES RECETTES DE
# VIVIANE

Les parfums de plats cuisinés sont les souvenirs heureux de Viviane. Ces recettes font partie de son histoire. Elles vous sont offertes ici dans l'ordre où elles apparaissent au fil du récit, associées à la musique qu'aime écouter Viviane lorsqu'elle cuisine.

# Penne à la feta et aux poivrons grillés
## Accord musique et mets : Arielle Dombasle

1 poivron rouge de grosseur moyenne • 1 poivron jaune de grosseur moyenne • Huile d'olive • 375 g de penne • 2 gousses d'ail hachées • ¼ tasse / 60 ml de basilic frais grossièrement haché • 1 c. à soupe / 15 ml de vinaigre de vin rouge • ⅓ tasse / 80 ml de bouillon de poulet • 3 tomates moyennes, italiennes de préférence, pelées, épépinées et coupées en dés • 1 petit oignon espagnol haché fin • 90 g de fromage feta émietté • ¼ tasse / 60 ml de persil italien haché • Sel et poivre du moulin, au goût

Préchauffer le four à 350°F / 180°C • Couper les poivrons en deux dans le sens de la longueur et en retirer le pédoncule et les graines • Badigeonner chaque moitié d'un peu d'huile et les faire griller au four environ 25 minutes ou jusqu'à ce que la peau noircisse • Laisser tiédir • Cuire les pâtes *al dente* dans de l'eau bouillante salée avec quelques gouttes d'huile d'olive • Les égoutter et réserver dans un faitout • Dans une petite casserole, mélanger l'ail, le basilic, le vinaigre de vin et le bouillon de poulet • Cuire à feu doux 8 à 10 minutes • Retirer la peau des poivrons et couper la chair en fines lamelles • Ajouter les tomates, l'oignon et les lamelles de poivron aux pâtes, y verser la sauce aromatique chaude et bien mélanger • Garnir de feta émiettée et de persil • Réchauffer quelques minutes • Agrémenter d'un filet d'huile • Assaisonner au goût.

# Muffins au citron et aux graines de pavot
## Accord musique et mets : Leonard Cohen

1¾ tasse / 430 ml de farine tout-usage non
blanchie • 2 c. à thé / 10 ml de levure chimique
• 1 c. à thé / 5 ml de bicarbonate de sodium
• 1 pincée de sel • ½ tasse / 125 ml de lait •
2 œufs battus • Le jus et le zeste d'un
citron • ⅓ tasse / 80 ml de beurre • ½ tasse / 125 ml
de sucre • 3 c. à soupe / 45 ml de graines de pavot

Préchauffer le four à 350°F / 180°C • Dans un bol, mélanger la farine, la levure, le bicarbonate et le sel • Réserver • Dans un autre bol, mélanger le lait, les œufs et le jus de citron • Réserver • Dans un troisième bol, plus grand, battre le beurre et le sucre jusqu'à consistance légère et pâle • Y ajouter par petites quantités, en alternant, les ingrédients secs et liquides sans cesser de mélanger jusqu'à consistance onctueuse • Incorporer le zeste de citron et les graines de pavot à cette pâte • Verser la préparation dans des moules à muffins • Cuire au four 30 minutes ou jusqu'à ce qu'un cure-dent inséré au centre en ressorte propre • Donne approximativement 10 muffins.

# Poulet chasseur
## Accord musique et mets : Richard Desjardins

2 c. à soupe / 30 ml de farine blanche tout-usage
• 3 lb / 1,5 kg de hauts de cuisse de poulet
• 1 c. à soupe / 15 ml d'huile végétale
• 2 c. à soupe / 30 ml de beurre • 4 échalotes sèches
• 1¼ tasse / 310 ml de vin blanc sec • 1 boîte de 28 oz / 796 ml
de tomates en morceaux égouttées
• 2 tasses / 500 ml de bouillon de poulet • 1 feuille de
laurier • Persil, thym, basilic et origan émiettés, au goût
• 2 c. à soupe / 30 ml de pâte de tomates
• 2 gousses d'ail émincées • ½ c. à thé / 2 ml de sucre
• 2 tasses / 500 ml de champignons frais, tranchés épais
• Sel et poivre du moulin, au goût

Verser la farine dans un plat peu profond et l'assaisonner de sel et de poivre • Y rouler les morceaux de poulet pour bien les enrober de farine et secouer l'excédent • Dans une grande sauteuse à hauts bords, une cocotte ou un faitout épais, faire chauffer l'huile et 1 c. à soupe de beurre à feu moyennement vif • Y faire revenir les morceaux de poulet, un petit nombre à la fois, jusqu'à ce qu'ils soient dorés de tous les côtés • Les retirer avec une pince en les égouttant à mesure qu'ils sont prêts et réserver • Réduire le feu et faire fondre les échalotes dans le gras resté au fond de la sauteuse, en remuant constamment, de 2 à 3 minutes ou jusqu'à ce que les échalotes soient translucides • Égoutter et réserver avec le poulet • Vider l'excédent de gras de la sauteuse, monter le feu à température moyenne et déglacer en y versant le vin et en raclant bien le fond et les parois de manière à en détacher les particules • Réduire la quantité de liquide de moitié en cuisant à feu moyen élevé pendant environ 10 minutes • Ajouter les tomates, le bouillon de poulet, les fines herbes, la pâte de tomates, l'ail et le sucre • Bien amalgamer le tout en remuant, puis y ajouter le poulet et les échalotes • S'assurer que les morceaux de poulet sont bien recouverts de sauce • Réduire le feu au plus bas, couvrir et laisser mijoter 30 minutes ou jusqu'à ce que le poulet soit tendre • Pendant ce temps, faire fondre le reste du beurre dans un poêlon et y faire revenir les champignons à feu moyen 3 ou 4 minutes • Les assaisonner au goût, puis les incorporer délicatement à la sauce aux tomates • Laisser cuire encore un peu, jusqu'à ce que la sauce atteigne une consistance assez épaisse • Rectifier l'assaisonnement au besoin.

## Biscuits au beurre d'arachides et au chocolat blanc
### Accord musique et mets : Leonard Cohen

½ tasse / 125 ml de beurre ramolli • ½ tasse / 125 ml de cassonade • ½ tasse / 125 ml de sucre • 1 œuf • ½ tasse / 125 ml de beurre d'arachides • ½ c. à thé / 2 ml de vanille • ½ c. à thé / 2 ml de sel • ½ c. à thé / 2 ml de bicarbonate de sodium • 1 tasse / 250 ml de farine tout-usage • ½ tasse / 125 ml de chocolat blanc en morceaux

Préchauffer le four à 350°F / 180°C • Dans un grand bol, défaire le beurre en crème à l'aide d'une cuillère en bois • Ajouter la cassonade et le sucre en battant jusqu'à consistance crémeuse • Incorporer l'œuf, la vanille, le beurre d'arachides, le sel et le bicarbonate • Ajouter la farine petit à petit en mélangeant bien, puis incorporer délicatement les morceaux de chocolat blanc • Faire de petites boulettes avec cette pâte et les déposer sur une tôle à biscuits graissée • Aplatir chacune avec une fourchette enfarinée (pour éviter que le mélange ne colle à la fourchette) • Cuire à 350°F / 180°C pendant 12 minutes ou jusqu'à ce que les biscuits commencent à dorer.

# Chili végétarien
## Accord musique et mets : Chet Baker

3 c. à soupe / 45 ml d'huile d'olive • 1 gros oignon haché grossièrement • 3 branches de céleri coupées en dés • 2 petites courgettes coupées en dés • 1 poivron rouge nettoyé et coupé en dés • 1 poivron jaune nettoyé et coupé en dés • 3 gousses d'ail broyées • 5 tasses / 1,25 l ou 3 boîtes de 14 oz / 398 ml de tomates en dés égouttées • 2 c. à soupe / 30 ml de sauce tamari • 2 c. à soupe / 30 ml de chili en poudre • 3 c. à soupe / 45 ml de cumin en poudre • 3 c. à soupe / 45 ml d'origan séché • 3 tasses / 750 ml ou 2 boîtes de 14 oz / 398 ml de haricots rouges cuits, avec leur jus • Sel et poivre du moulin, au goût

Verser l'huile d'olive dans une cocotte ou un faitout et y faire revenir l'oignon, le céleri, les courgettes et les poivrons à feu moyen pendant 10 minutes ou jusqu'à ce qu'ils soient attendris • Ajouter l'ail et bien remuer • Ajouter les tomates, la sauce tamari, les épices et l'origan • Saler et poivrer légèrement • Bien mélanger le tout et cuire à feu moyen pendant 40 minutes • Remuer de temps à autre • Incorporer les haricots • Rectifier l'assaisonnement au besoin • Poursuivre la cuisson pendant 15 minutes encore • Servir tel quel, avec du fromage râpé ou sur du couscous.

# Confiture aux fraises
### Accord musique et mets : Janis Joplin

5 tasses / 1,25 l de fraises • 2½ tasses / 625 ml de sucre
• ½ tasse / 125 ml de jus de citron frais

Placer une soucoupe dans le congélateur • Laver les fraises, bien les assécher avec des essuie-tout et les équeuter • Déposer les fraises dans une grande casserole • Les écraser légèrement avec un pilon à pommes de terre afin d'en faire sortir le jus • Ajouter le sucre et le jus de citron • Laisser reposer 30 minutes à la température de la pièce • Porter à ébullition en remuant régulièrement et en écumant la mousse en surface • Cuire environ 15 minutes à feu moyen ou jusqu'à épaississement • Pour vérifier la consistance de la confiture, verser une cuillère à thé de confiture chaude dans la soucoupe tout juste sortie du congélateur, elle devrait se figer immédiatement; si la confiture est encore trop liquide à votre goût, poursuivre encore un peu la cuisson • Verser la confiture chaude dans des bocaux stérilisés et chauds, puis sceller.

# Salade de thon
## Accord musique et mets : Katie Melua

1 boîte de 14 oz / 398 ml de haricots blancs en conserve, rincés, égouttés • 2 boîtes de 6½ oz / 184 g de thon dans l'huile d'olive, égoutté • 10 tomates cerises coupées en deux • 1 concombre libanais coupé en dés • 1 branche de céleri émincée • ½ poivron rouge ou jaune • 2 échalotes émincées • Persil haché fin • Olives noires • Jus de citron • Huile d'olive • Fleur de sel, poivre du moulin

Mélanger le thon aux haricots • Incorporer le reste des ingrédients secs • Arroser de jus de citron et d'huile d'olive et assaisonner au goût.

# Scones aux bleuets séchés et à l'orange
## Accord musique et mets : Claude Léveillée

2 tasses / 500 ml de farine tout-usage non blanchie
• 2 c. à thé / 10 ml de levure chimique • ¼ tasse / 60 ml de
sucre • ½ c. à thé / 2 ml de sel • ¼ tasse / 60 ml de beurre
froid coupé en dés • ½ tasse / 60 ml de bleuets séchés ou
raisins secs dorés • 2 c. à thé / 10 ml de zeste d'orange
• 3 œufs • 1 c. à thé / 5 ml de vanille • ½ tasse / 125 ml
de lait • 1 c. à thé / 5 ml de jus de citron

Préchauffer le four à 400°F / 200°C • Graisser et enfariner
une tôle à biscuits • Dans un bol, bien mélanger la farine, la
levure, le sucre et le sel • Incorporer le beurre à l'aide d'un
coupe-pâte ou de deux couteaux • Incorporer les bleuets
séchés et le zeste d'orange • Former un puits au centre de
cet appareil • Battre deux œufs dans un bol et les verser au
milieu avec le lait dans lequel vous avez d'abord versé le jus de
citron, puis ajouter la vanille • Mélanger rapidement à l'aide
d'une fourchette • Lorsque la pâte est presque homogène,
la renverser sur une surface de travail farinée et pétrir pour
qu'elle devienne lisse et uniforme • Ajouter de la farine
au besoin • La pâte doit être très souple mais pas collante
• Abaisser la pâte avec les doigts à une épaisseur d'environ ¾ po /
2 cm • Couper des portions à l'aide de votre emporte-pièce
préféré ou, avec un couteau bien aiguisé, découper des pointes
comme dans une tarte • Déposer les scones sur la plaque en
laissant au moins un pouce / 2,5 cm entre chacun • Battre
l'œuf restant et en badigeonner les scones pour leur donner
une belle couleur dorée • Saupoudrer légèrement de sucre •
Cuire au centre du four pendant 15 minutes ou jusqu'à ce que
les scones soient bien dorés.

## Crevettes cadjines
### Accord musique et mets : Zachary Richard

1 c. à soupe / 15 ml de cumin • 1 c. à soupe / 15 ml
de paprika • 3 c. à soupe / 45 ml de jus de lime
• ¾ c. à thé / 3,5 ml de piment d'Espelette
• ½ tasse / 125 ml d'huile d'olive • 2 c. à soupe / 30 ml
de pâte de tomates • 2 gousses d'ail hachées
• 2 oignons verts hachés fin • Sel et poivre
du moulin, au goût • 16 grosses crevettes
décortiquées et déveinées • 16 brochettes en bois,
trempées 30 minutes dans l'eau


Dans un bol, mélanger tous les ingrédients de la marinade •
Ajouter les crevettes et laisser mariner au moins une heure
au réfrigérateur en remuant de temps à autre • Préchauffer
le barbecue à température élevée • Égoutter les crevettes et
les enfiler sur les brochettes • Cuire sur le gril jusqu'à ce que
les crevettes deviennent rouges en surface et assez fermes à
l'intérieur • Badigeonner du reste de la marinade pendant
la cuisson • Délicieux avec un mélange de riz brun et de riz
sauvage légèrement assaisonné.

# Soupe de poisson
## Accord musique et mets : Jomed

3 c. à soupe / 45 ml d'huile d'olive • 2 oignons espagnols
coupés en fines lamelles • 1 gros poivron rouge coupé en
fines lamelles • 3 gousses d'ail hachées fin
• 2 c. à thé / 10 ml de sauce harissa
2 c. à thé / 10 ml de cumin • 3 pommes de terre
moyennes coupées en dés • 1 bulbe de fenouil
coupé en dés • 3 c. à soupe / 45 ml de jus de citron
• 6 tasses / 1,5 l de fumet de poisson (peut être préparé
à partir de cubes de concentré)
• 5 lb / 2 kg d'un mélange de poissons maigres
et gras, bien nettoyés et coupés en morceaux
(les têtes, queues et arêtes peuvent servir, enveloppées
de mousseline, pour donner plus de goût à la soupe)
• 4 tomates pelées, épépinées et hachées • Coriandre et
persil hachés • Sel et poivre du moulin, au goût


Faire chauffer l'huile à feu moyen dans une grande marmite et
y faire revenir les oignons et le poivron • Ajouter l'ail et laisser
cuire encore 2 minutes avant d'incorporer la sauce harissa,
les épices, les pommes de terre, le fenouil, le jus de citron et le
fumet de poisson en remuant constamment • (Si vous utilisez
les abats de poisson, vous pouvez à ce moment-là ajouter à
ce mélange le sac de mousseline qui les contient.) • Porter à
ébullition, baisser le feu, couvrir et laisser mijoter 20 minutes
ou jusqu'à ce que les pommes de terre soient presque cuites

• Ajouter les morceaux de poisson, les tomates et les herbes • Rectifier l'assaisonnement et laisser cuire doucement jusqu'à ce que le poisson soit tendre • (Le cas échéant, retirer le sac de mousseline avant de servir directement de la marmite.) • Excellent avec des croûtons rôtis accompagnés de gruyère râpé et de rouille (mélange de mayonnaise, d'ail, de piment d'Espelette et d'un peu de bouillon de poisson).

# Salade de couscous
## Accord musique et mets : Pink Martini

1 tasse / 250 ml d'eau • 1 c. à soupe / 15 ml de beurre
• 1 tasse / 250 ml de couscous • ¼ tasse / 60 ml d'huile d'olive
• 3 c. à soupe / 45 ml de jus de citron
• 2 c. à soupe / 30 ml de menthe fraîche, hachée
• 3 c. à soupe / 45 ml de coriandre fraîche, hachée
• 1 tasse / 25m ml de tomates cerises coupées en deux
• 1 poivron rouge tranché en fines lamelles • ½ concombre
coupé en dés • ¼ tasse d'olives noires Kalamata
dans l'huile, égouttées, dénoyautées et grossièrement hachées
• 2 échalotes émincées • 1 gousse d'ail hachée
• 16 oz / 450 g de fromage feta émietté
• Sel et poivre du moulin, au goût

Dans une casserole, porter l'eau à ébullition et y faire fondre le beurre • Saler légèrement (davantage si vous employez du beurre doux) • Retirer du feu et ajouter le couscous • Couvrir et laisser gonfler pendant 5 minutes • Défaire à la fourchette • Réserver dans un saladier. • Dans un autre bol, fouetter l'huile et le jus de citron • Verser cette préparation sur le couscous, ajouter les herbes et mélanger soigneusement • Incorporer le reste des ingrédients • Assaisonner au goût • Couvrir et réserver au frais jusqu'au moment de servir.

# Filets de tilapia aigres-doux
## Accord musique et mets : Bryan Ferry

1 tasse / 250 ml de bouillon de poulet • ¼ tasse / 60 ml
de jus d'orange • 2 c. à soupe / 30 ml de sucre
• 2 c. à soupe / 30 ml de vinaigre de vin rouge
• 2 c. à soupe / 30 ml de pâte de tomates
• 2 c. à thé / 10 ml de fécule de maïs • 2 c. à thé / 10 ml de
sauce soya • 1 c. à thé / 5 ml de gingembre frais, haché fin
• 2 gousses d'ail hachées fin • 2 c. à soupe / 30 ml d'huile
végétale • 4 filets de tilapia • 1 poivron rouge coupé
en lanières • 2 tasses de champignons frais, tranchés
• 1 courgette émincée

Dans une casserole inoxydable, mélanger le bouillon, le jus
d'orange, le sucre, le vinaigre, la pâte de tomates, la fécule de
maïs, la sauce soya, le gingembre et l'ail • Réserver • Dans
un grand poêlon, chauffer 2 c. à thé d'huile à feu moyen
• Y déposer le tilapia et cuire jusqu'à ce que la chair se
défasse à la pointe d'un couteau (les retourner à mi-cuisson),
soit environ 12 minutes • Avant que le poisson n'ait fini
de cuire, chauffer le reste de l'huile à feu moyen dans un
autre poêlon • Ajouter les poivrons, les champignons et la
courgette, et faire sauter en remuant souvent jusqu'à ce qu'ils
soient tendres • Porter à ébullition le bouillon assaisonné •
Laisser bouillir pendant environ 2 minutes ou jusqu'à ce que
la sauce ait épaissi • Ajouter les légumes au poisson, recouvrir
de bouillon et réchauffer à feu doux pendant encore une ou
deux minutes • Délicieux tel quel ou sur un nid de pâtes.

# Chèvre chaud
## Accord musique et mets : Louis Armstrong

6 tranches de pain baguette • 2 gousses d'ail légèrement
écrasées • 1 paillot (ou bûchette) de 4 oz / 125 g de chèvre frais
affiné, coupé en six rondelles égales • 2 c. à soupe / 30 ml de
pignons (noix de pin) • 1½ c. à thé / 7,5 ml de ciboulette fraîche,
ciselée • 2 c. à soupe / 30 ml de miel • Fleur de sel
• Poivre du moulin • Salade de roquette • Huile d'olive
• Vinaigre balsamique (rouge de préférence)

Frotter les tranches de pain avec l'ail • Les poser sur une
tôle à biscuits huilée • Placer les rondelles de chèvre sur le
pain et garnir chacune de quelques pignons • Faire griller au
four sous l'élément de rôtisserie (broil) environ 5 minutes en
surveillant pour éviter que les pignons ne brûlent • À la sortie
du four, arroser chaque rondelle de quelques gouttes de miel
liquide • Assaisonner au goût et parsemer de ciboulette •
Servir chaud sur une salade de roquette fraîche préalablement
assaisonnée d'huile d'olive et de vinaigre balsamique.

# Pain aux canneberges et à l'orange
## Accord musique et mets : Rod Steward

2 tasses / 500 ml de farine tout-usage
• 1½ c. à thé / 7 ml de levure chimique
• ½ c. à thé / 2 ml de bicarbonate de sodium
• ½ c. à thé / 2 ml de sel • 1½ tasse / 375 ml de sucre
• 1 tasse / 250 ml de jus d'orange frais • ¼ tasse / 60 ml
d'huile végétale • 2 œufs • 1 tasse / 250 ml de
canneberges fraîches ou surgelées et décongelées
• 1 c. à table / 15 ml de zeste d'orange

Préchauffer le four à 350°F / 180°C • Beurrer et enfariner un moule à pain rectangulaire • Dans un grand bol, mélanger la farine, la levure, le bicarbonate de sodium et le sel • Dans un autre bol, mélanger le sucre, le jus d'orange, l'huile et les œufs • Battre pour obtenir un liquide homogène, puis verser sur les ingrédients secs en remuant légèrement • Incorporer délicatement les canneberges et le zeste d'orange • Mélanger de façon à humecter la pâte, sans plus • Répartir la pâte uniformément dans le moule • Cuire environ 60 minutes ou jusqu'à ce qu'un cure-dent inséré au centre en ressorte propre.

# Quatre-quarts à l'abricot
## Accord musique et mets : Luz Cazal

½ tasse / 125 ml d'abricots séchés coupés en petits dés
• 4 œufs, jaunes et blancs séparés • ¼ c. à thé / 1 ml
de crème de tartre • 1 tasse / 250 ml de beurre ramolli
• 1 tasse / 250 ml de sucre • 1½ tasse / 375 ml de farine
tout-usage • 1 c. à thé / 5 ml d'extrait de vanille

Préchauffer le four à 325ºF / 170ºC • Réhydrater les abricots dans de l'eau chaude pendant 5 à 10 minutes • Égoutter et réserver • Beurrer et enfariner un petit moule à pain de 8 X 4 po / 20 X 10 cm • Dans un bol, monter les blancs d'œufs en neige avec la crème de tartre • Réserver • Dans un autre bol, mélanger le beurre et le sucre au batteur électrique • Ajouter les jaunes d'œufs et fouetter jusqu'à ce que le mélange soit homogène • Ajouter peu à peu la farine et mélanger à la main jusqu'à ce qu'elle soit légèrement incorporée • À l'aide d'une spatule, incorporer délicatement la moitié des blancs d'œufs • Ajouter avec autant de délicatesse le reste des blancs d'œufs et la vanille • Répartir la pâte uniformément dans le moule • Cuire environ 55 minutes ou jusqu'à ce qu'un cure-dent inséré au centre en ressorte propre.

# Remerciements

Je souhaite remercier chaleureusement Benoît Camirand, Suzanne Dejoie, Ylva de Laurier, Pierre Desmarais, M^e Gilles Éthier, Réal Harrison, Geneviève Lacoursière, Carole Laliberté, Josée Marcoux, François Martin, Stéphane Mongeau, Bernard Paré, Andréane Proulx et Christine Rebours, ainsi que Sylvie François du programme PARADE au Cirque du Soleil.

C'est avec enthousiasme que ma mère et grande complice m'a proposé ses meilleures recettes pour Viviane. Il ne pouvait en être autrement puisque c'est elle qui m'a offert ces mêmes beaux souvenirs d'enfance. Merci maman.

Construire, couper, découper, élaguer, aiguiser, broder, lisser, polir. Ces consignes écrites à la main et regroupées dans une bulle à la manière d'un dialogue de bande dessinée appartiennent à Ara Kermoyan. Il m'en a fait cadeau, comme bien d'autres enseignements d'ailleurs. Je lui en serai toujours reconnaissante. Ara était mon éditeur, mais avant tout, mon ami. Il est parti comme il a vécu, avec élégance.

Enfin, dans une période difficile, Mireille Kermoyan a accompagné la publication de cet ouvrage. Femme de talent, éditrice généreuse et avisée, elle mérite des remerciements tout particuliers. À cette femme merveilleuse à qui je voue un profond respect, je dis merci de tout cœur. Son amitié m'est chère.

Danielle Pouliot, juillet 2011